JN045471

ヴァイトリング著
「人類」
革命か啓蒙か

石塚正英
翻訳・編著

社会評論社

目次

まえがき

半世紀にわたってわが研究生活のテーマにして来た19世紀社会思想ではなじみの哲学者フォイエルバッハや職人活動家ヴァイトリングは、理不尽にも、欧米諸国の学界・思想界でこう評論されて来た。革命家マルクスが飛翔するに際してキックボードの役割を担ってきた、その後乗りこえられていった、ヴァイトリングは武装蜂起を企てたりして行き詰って挫折した、等々。

さて、ある時期にあるテーマで一世を風靡した思想家や研究者が、変節せずとも、その後に何かを契機にして激しく批判されたり忘れ去られたりしていくという事例は、ほかにも散見される。まずは、18世紀フランスの思想家シャルル・ド＝ブロスのフェティシズム概念は、19世紀に隆盛となったアニミズム理論からの批判を通じて学説をほぼ否定された。19世紀アメリカの人類学者モーガンは集団婚を唱えたが、それは一夫一妻婚支持者の批判にあってほぼ否定された。同時代スイスの神話学者バッハオーフェンは、先史社会における母権と無規律婚を唱えたのだが、父権支持者の批判にあってほぼ否定された。そして19世紀末から20前半の人類学者フレイザーは、世界大で事例蒐集にあたり偉業を称えられたが、やがて、自らはフィールドに向かわず実証的裏付けを欠いたアームチェアーの研究者という批判を受け、蒐集した事例の資料的価値を疑われたのだった。

それらの批判動向について、私はいずれも全面的には支持していない。ド＝ブロスは自然崇拝において霊的存在よりも物的存在を重視し、モーガンは個別家族と区別される氏族集団をイロクォイ社会を実例にして探究した。バッハオーフェンはギリシア・ローマ的父権・政治的権力と区別される先史母権の精神的威信・氏族社会的規範を捉えた。いずれも文明期と区別される先史社会・野生社会に端を発する研究テーマである。それらは文明期に存在することとなった事例と類型を異にしているわけである。その差異性を無視しては、批判は批判足り得ない。文明社会の基準をもって先史社会や野生社会を推し量ろうとしても埒はあかない、と私は考えている。原初性の探究は、ひるがえって、未来学の構築を目的にしているのである。

ところで、本書でメインに紹介する 19 世紀ドイツの革命家ヴァイトリングは、19 世紀前半ヨーロッパの労働運動史で一世を風靡した人物であるが、マルクス（主義者）によって史上から抹殺されて以後、20 世紀を通じてなかなか再評価されることなく今日に至っている。理由を探すことはたやすい。彼は古今東西の社会的活動家の一群に連綿と継承されてきたアウトローの一人だからである。そうしたアウトローの特徴をうまく表現した人物に、19 世紀のアナキスト、ロシアからスイスにやってきてヴァイトリングに会い、アウトロー精神の確立において決定的な影響を受けた人物、ミハイル・バクーニンがいる。彼は、1842 年 10 月に、ヘーゲル左派の機関誌的存在であった『ドイツ年誌』上で、「ドイツにおける反動（Die Reaction in Deutschland）」と題する論文をジュール・エリザール名で載せた。「永遠の精神を信じようではないか。この精神こそは、生命あるものすべての汲めど尽きせぬ永遠の創造の泉であるが故、破壊と絶滅を為すのだ──破壊への情熱は、同時に創造への情熱なのだ！」この論文によって彼は、ドイツの反動のみならず、全欧全世界の反動を根こそぎにすべしと解釈しうるような宣言を発したのである。

バクーニンをして総破壊の檄文を書かせるに至った人物、それがヴァイトリングである。歴史上、このような檄文を発表した人物を私の研究領域で列挙すると、16 世紀前半のトーマス・ミュンツァーであり、19 世紀前半のゲオルク・ビュヒナーであり、バクーニンだった。そのすべてのアウトローに大なり小なり関係しているのがヴァイトリングだったのであり、そのアウトロー宣言が「人類──あるがままの姿とあるべき姿」なのである。ヴァイトリング思想は原初性（societas）を秘めている。マルクスのような文明論（civitas）の基準をもってヴァイトリング思想を推し量ろうとしても埒はあかない。『人類』は、まさにその原初性の探究に必要な一級の参考資料である。その後に刊行される彼の著作群は、おおむね『人類』のバリエーションなのである。価値転倒の思索者ヴァイトリングのエッセンスはこの一書に収められている。

なお、本書を編集している現在、ロシア軍のウクライナ侵攻が1年以上続いている。この武力行使は革命でなく戦争を物語っているが、両国ともロシア革命の遺産的存在である。スターリンの旧ソ連は紛う方なき独裁国家だったが、現在のロシアはその体制を引き摺っている。ロシアとその同盟諸国はNATO諸国との間で戦争激化の傾向を強めているが、その動向は相互に核戦争を誘発しないだろうか。武器のAI化を促進しないだろうか。19世紀ヨーロッパにおいて現実有効的だった民衆の反抗は、21世紀のこんにち徹底的に抑え込まれている。2019年夏以降に香港で生じた学生・市民主体の大規模な抗議行動は、一時SNSで世界中に知れ渡ったが、中国政府の介入をみてほどなく鎮圧されたではないか。

民衆の革命的暴力と統治者の国家的暴力の間に質的区別はあるのか。その問題を考えるに際して、私はもう一つ、女性を中心としたロジャヴァの革命にも注目している。シリア北部の、クルド人居住地域（ロジャヴァ・クルディスタン）に展開する女たちの革命運動、ゲリラたちの多様な日常、ローカルな場からの革命と自己組織化、国家権力を弱めるような民主主義の運用などである。

本書では、ヴァイトリング思想を端緒にして、そのような現代的諸問題をもあわせて考えてみたい。なお、第1部・第2部の翻訳について、（　　）内の記述はすべて訳者（石塚）によるものである。

第１部

石塚正英訳

ヴァイトリング著
人類
――あるがままの姿とあるべき姿――

Sammlung gesellschaftswissenschaftlicher Aufsätze.
Herausgegeben von Eduard Fuchs.
Neuntes Heft.

Die Menschheit
wie sie ist und wie sie sein sollte.
Von
Wilhelm Weitling.

Nebst einem Anhang:
Nachtrag zu:
Das Evangelium eines armen Sünders.
Von
Wilhelm Weitling.

München 1895.
Druck und Verlag von M. Ernst, Senefelderstraße 4.

Die
Menschheit,
wie sie ist und wie sie sein sollte.
Von
Wilhelm Weitling.

Zweite Auflage.

Bern.
Druck und Verlag von Jenni, Sohn.
1845.

第 *1* 章　収穫の機は熟している

> そしてイエスは庶衆 (Volk) を見られて、同情を禁じえなかった。そこで信徒たち (☆01) に言われた。「収穫は多いが働き手が少ない。だから、収穫のため働き手を送り出すよう、収穫の主人にお願いしなさい」(マタイ 9-37,38 ルカ 10-2)。

収穫は多く、機は熟している。刈り入れ作業は山ほどある。働き人の君たちよ、集まって収穫を始めよう。収穫の畑は栄光の畑であり、作業は誉れ高く、そして報いは不滅である。なぜなら、我々は隣人愛という鎌を手にしているからである。そして、何にもまして神を愛し汝自身を愛するが如くに汝の隣人を愛せよ、とのまことの神の掟を我らが鎌を鍛える鋼の槌とするのだ。さあ、この作業に喜びを感じ、この鎌の重みをきついと感じない者は来たりて大きな収穫団 (Ernteverein) をつくるのだ！

収穫、それはこの世での完全性をめざして成熟する人類である (☆02)。そして、大地の恵みの共有は収穫の最良の成果だ。愛の掟は我々を収穫へといざない、それは享受へといざなう。だから、諸君が収穫し享受したいと望むならば、愛の掟に従わねばならない。

無病息災 (☆03) を増進し秩序を維持するためと君たちに信じ込ませて、これまで絶えず、夥しい数の法律や規則が印刷され文書にされてきた。それで君たちは一冬を通して暖い部屋で過ごすことができるというわけだが、君たちの同意が求められたことは決してなかった。なぜなら、こうした規則の類は君たちにとって虐待以外のなにものでもなく、君たちが同意することは決してないからである。君たちが法律を犯し罰せられて初めて、その法の中身が公表されるだけである。それは、君たちを奴隷的恐怖の状態において、都合よく生活させるためなのだ。

しかし、恐怖は臆病の根っこである。労働者はこの有害な植物を根だやしにしなければならない。これにかわって勇気と隣人愛の根を深く張らせねばならない。隣人愛はキリストの第一の掟であり、あらゆる善なる者の願い、意志、したがって幸福、安寧はこの掟のうちに含まれている。

君たちは、善良かつ幸福でありたいと願うならば、このまことの神の掟の成就に努めることだ。君たちに勇気があれば、その成就は難しくはない。なぜなら、まさに君たちのすべてが願っている闘いをもって足りるだけだからだ。

いざ、不和と利己心に対する闘いの場に進め。まず君たちの内側からそれを駆逐せよ。それから、到る処で、不和と利己心の住処を攻撃して打ち破るのだ。

他人の過ちを見て自分の過ちに気づこうとしない、あるいは改めようとしない限り、君たちはまだ内なる不一致を追放していないのである。多くの不幸な同胞の生活状態よりも自分の生活状態の方が好ましいと考えているあいだは、君たちはまだ利己心から解き放たれていないのである。

ものを与え分かち合うことをはなはだ苛酷に思う者は、人を憎悪し、貪欲なものだ。そのものは、臨終を迎えたときにそのツケを支払うことになる。その期に及んでようやく悔いの涙を流したところで、希望もむなしく寄る辺ない彼の流す涙は、ひどく沈痛なものとなろう。

充ち足りた者は幸いである！　しかし、充ち足りるのは、憂いのない生活を営み、友を有する場合である。憂いのない生活は、各人が皆それぞれの必要とするものを所有することが明らかな場合であり、また､友を選んだり見いだしたりするのは､自分と同等の運命にある人々のもとだけである。したがって、憂いが解消し、友情が生まれ、そして万人の幸福がもたらされるのは、万人平等の生活状態が実現してこそである。万人の幸福という状態を招来したいと願うならば、君たちは、各人が各自に必要とするものを所有し享受し、それ以上に所有し享受することのないよう努力することだ。

家族の食卓でだれかの食べ物を横取りしようとすれば、君たちはそれを制止するだろう。なぜなら、横取りされた人が飢えに苦しむのは耐え難いからである！ 君たちが収穫する畑は、自然の恵みが豊かに並んだ食卓である。この食卓でも、君たちはなぜ不正な人間の貪欲を追い払おうとしないのか？

彼らは次のように言うだろう。我々は君たちのために家や畑、働く工場を買い、あるいは借入れ、あるいは相続したのだ。君たちが働いている間は飢えることのないよう、我々は君たちに十分なものを与えよう、飢えを免れるべく君たちもそれに同意したではないか、と。だが、やがて君たちが彼らにこう尋ねる日が来る、君たちは我々と同じだけの苦労を分かち合ったことがあるか、と。

そのときに彼らが「はい」と答えられるならば、君たちは労働の収穫を彼らと分かち合うだろう。もしそうでなければ、君たちは彼らを追い返すだろう。なぜなら、働かざる者は食うべからず、だからである。

君たちは朝な夕なに働く。祝福の年月が続き、貯蔵庫はすべて君たちが大地から収穫した財（☆04）で満たされる。だが君たちの大半は衣食住の必需品に不自由している。自ら額に汗して獲得せねばならない君たちが、大地の富をもっともみじめに分与されている。

それは労働ならびに労働によってもたらされる財の、不平等な配分に由来する。これによって貧困と富（Reichthum）が生ずる。なぜなら、富者がいてこそ貧民が存在し、貧民がいてこそ富者が存在するからなのだ。

富者であり権力者である、というのは不義（☆05）を意味する。だから、君たちの中に富者や権力者が存在するならば、それだけ不正な者もまた存在することになる。天国は義人（Gerechten）にのみ約束されているのだ。

キリスト者であるならば、君たちは思い出すがいい。富者にはあらゆる戒律の遵守が容易だったが、財の分配の戒律遵守だけははなはだ困難だった、というキリストの言葉を。

富者もしくは不義であるということはさらに、労働せずに必要以上のものを享受できる権力（Macht）もしくは手段（Mittel）を持つ、ということを意味する。したがって、他者が富者のために働かねばならないことになる。しかも、富者が浪費しているものを、この人々は不自由せねばならない！　こうした人々のため、こうした人々によって、君たちのうちの数百万という人々が自分には何ら利益を生まない労働に従事させられることになる。ところでこの数百万という人々も衣食を得たいと思う。そこで君たちはまたこれらの人々のために、本質的には君たちに何ら利益を生まないのだが、彼らと共に働かねばならなくなる。

欠乏する人間がいるかぎり、万人の生存と安寧 (Wohlfahrt) に必要でない労働はすべて無益な労働である。尋常でない努力をしてつくられる贅沢品は、それを所有することのできない多数の人間にとって、何の役に立つものか。しかし、これらの仕事に従事している多数の労働者は社会の役に立つだろう。というのは、彼らが加われば、万人が生きるのに最も必要不可欠な労働が軽減されるからであり、だれしも雨風や寒さをしのぎ、衣食の生計を立てたいと願うものだからだ。ところで、つぎに君たちは、無為に過ごしながら収入を得ている多数の怠け者たち、さらには、彼らに仕えて彼らの便益をはかる者、彼らの不正を防衛する雇兵 (Bajonettenheere) などを考慮してみよ。いかに多くのがっちりした強者が有益な労働を免れ、彼らに割当てられた労働がいかに他者に委ねられていることか、君たちは驚くにちがいない。

しかし、これら人類の敵が為す不正は、君たちの精神や身体の諸力すべてをもっぱら独占的に利用する、というだけではない。彼らの所有欲はさらに、君たちに対して生活財の公平な配分を拒む。富の最大にして最良の部分は、彼らの巧妙で欺瞞的な、いわゆる市民的秩序によって設えられて、彼らのために、あるいは喜んでもしくは強いられて彼らのために仕える者たちとのために、彼らの内から当然の如く要請される。そのために最良の生活必需品は値上がりし、君たちの賃金はかろうじて悪い物が少量買える程度になってしまう。生かさず殺さず程度以上には、君たちの手にはもはやなにも渡そうとはしないだろう。自分で働かねばならなくなるのが、彼らには耐えられないわけである。

肉やその他の食糧が市中に出回ると、たとえ皇帝であれ、その他どのような名であれ、とにかく君たちの支配者が、自分と自分に仕える者たちのために、その最良の部分を奪う。それから、金貨を持った別の者たちがやって来て残余の要求を表明する。君たちはなにも残らぬ場合、君たちは、施しがあった場合にのみ、干乾(ひから)びたパンを口に押し込むのである。というのも、彼らは肥えた飼犬は可愛がるが、飢えた労働者など少しも苦にならないからである（☆06）。

労働者は、貧しければ貧しいほどいっそう働き、その支出を目当てにする商人、小売人たちをますます富ますことになる。必ずしも商人たちの悪意のせいではなく、社会全体が暴利目当てのシステムで組織されているからだ。義人はこの中で日々のパンを乞わねばならないのである。

労働者は比較的少量の必需品を小規模な小売商人から買う。いつも少量を高く買わざるをえないのは、まとめ買いができないためだ。労働者が品物を買う相手、小規模な商売に従事する人々も、それで生活していこうとしているからである。

労働者が借金しようとすれば、そのため高利貸しに莫大な利子を払わねばならない。ところが、富者が事業拡大のために資金を調達するとき、彼はほどほどの利子を支払うだけですむ。しかもその利子や税金等すべてを、彼は他の名目で再び労働者に押しつけるのである。

高利貸のために食糧その他の必需品の価格が高騰するだろう。しかし、財貨からの租税徴収者も、それら財貨取引者も、わずかですら自己負担するつもりなどない。

この負担をまるごと背負わねばならないのは、またしても労働者である。これら石のように冷たい心の者たちは、たとえ労働者がその重荷に耐えかねても、だれひとりとして援助の手を差し伸べようとはしない。共に悩む同胞の胸に人並み以上の暖かい心が脈打っていないならば、彼を助けて負担が軽減されることは滅多にないのである。

君たちはこの重圧を皆が感じ、その下で呻吟している。しかし、君たちの多くはこれに対抗する方法を知らない。ある者は、親方と呼ばれる人々だが、徒弟あるいは労働者の賃金を削減して救済を試みようとする。ところがこの措置は自身にも手工業全体にも害をなす。なぜなら、労働者の賃金引き下げ（die Verkürzerung des Lohnes）によって労働価格（der Preis der Arbeit）も低下するからだ。労働価格を適正に保つ評価規準がなく、各人の自助努力に委ねられているから、そうなる。

野獣が畑を荒らしたら君たちは、自らおよび家畜に必要な飼料を確保しておくために、これと闘うであろう。だれしも家畜の飼料を減らすとか、自らも窮乏に耐え忍ぶなどと臆病になることはなかろうに。それなのに、君たちの労働生産物を荒廃させる野獣たちをなぜ防ぎとめないのか？

君たちはいつも自身の周りに窮乏の原因を求める。だがその原因はじつは宮廷に、玉座に、そして柔かい絨毯の上にあるのだ。

また君たちのうちのある者は、まったく罪のない機械にそれを着せる。機械は、人類が将来の財産共同体において一つの大家族に暮らすようになれば、人類に幸福をもたらずことだろう。なぜなら、機械は人類に、その本性ではけっして達成しえないような力と速度を与え、またその補助によってあまたの労働労苦が節約されるのである。

ところが、今日の社会状況にあっては、機械が発明されその完成度が高められるほどに、人類の多数はますます不幸になっていく。もし機械が存在しないならば、仕事をしないとか無益な仕事に従事しているとかの数百万人は、その欲求ないしは必要を満たすため、無為徒食を当然と見なされている者でないかぎり、残りのすべての人間を働かせることが必要になろう。

ところが、わずかな助力で信じがたいほどの仕事をする機械があれば、多数の労働者はもはや不要となる。高利貸はただちに、万人が必要とするものは長期的、かつ量的に見れば巨額の儲けになることを計算高く見抜く。そこで高利貸にかわる新たな資本、すなわち新たな享楽の、無為徒食の特権（Schwelger und Faullenzer Privilegien）に人々は群がって暴利を貪るのである。かくして今日の惨めな状況下においては、労働者の労働軽減を使命とする機械の発明製作が、労働を軽減することなしに、むしろ労働者の困窮を増大させることになる。というのは、労働者の労働時間は延長されはしないが、現状のまま維持されるからである。そして、このような状況が続くかぎり、労働者が自らの境遇の改善のために発明し考案したものが、不義なる（ungerecht）人間の、下劣で利己的な目的のために利用される。発明者には、他の者の熱意をさまさないよう旨いものを差し出してせいぜいであって、それですべてなのだ。

君たちはしばしば時代が悪いのだと嘆くが、なぜ時代が悪いのかを滅多に調べようとはしない。それに、もし諸君が調査したところで、滅多に正しい原因を得ることはない。工場労働者は機械に不平を訴え、手工業職人は組合規約や営業の自由や余りにも過少な事業経費にそうする。農民は年々の豊凶に不平をこぼす。そして人々は皆、生活必需品の価格の高騰に不満を抱いている。だが、急所を突いて把握している者は僅かだ。

この悪しき時代が永続している原因は、財貨の分配と享受の不平等、ならびにこれを生み出す労働の割当の不平等である。この醜悪な無秩序を維持しているもの、それは貨幣だ。

もし今日以降、貨幣が存在せず、あるいは存在し得ないとすれば、富者も貧民も互いに、ほどなく財産共同体の中で暮らさざるを得なくなるだろう。しかし、今日的な意味での貨幣が存在するかぎり、世界はけっして自由ではあり得ないだろう。貨幣が導入されてから、人類はどれほどの悲惨、不幸を被ってきたことか。人類の犯した罪や過ちを一覧表にしてみるがいい。見てのとおり、その多数、しかも最も恐しい罪、公けの安寧に最も有害な罪は、もし貨幣が存在しなかったならば起こらなかっただろう。貨幣を投げ捨てて財産共同体を導入していれば消滅していただろう。自由と平等を宣言し、王侯、貴族、僧侶を滅ぼし、常備軍を廃止し、富者に課税する。そうすれば君たちは多大な成果を収めることになる。しかし、それだけではまだ人類の幸福を基礎づけたとはいえない。もし我々の仕事を完成するつもりなら、ここで立ち止まってはならない。我々の義務は、人類が救いを求めて奮闘する偉大な瞬間を利用することだ。もし闘いの代償が流血であり生命であり自由であるのなら、同じような犠牲を払って不完全なものを求めるよりも、むしろ完全なものをめざして努力しよう。

身分格差が招来する道義的退廃は、人類の不幸増大を助長している。貴族は商人よりも高慢であり、商人は職人よりも自惚れている。直接税を支払っている親方は皆が等しく軽蔑する労働者より以上だと信じている。さらにまたそれぞれがそれぞれの身分の中で他の者よりはましだと考える。労働者の場合でも同じであって、新しい服を身につけた労働者には古い服のままの労働者が見劣りするのである。

君たち労働者のあいだにもこのような傾向が生じているのはとても悲しい。しかしそうなったのは、君たちの無知と臆病のせいである。というのは、もし君たちが、自分たちはこの地上で最も有用な人間であるということを知れば、盛装した抑圧者や愚か者の挙動をまねるとか、これをわが身の健康よりも大切だと考えることもなく、彼らの愚行を気高く見つめる勇気をもつことだろう。

虚飾に耽る者は享楽に溺れる輩と同様、心を入れ替えない限り、財産共同体（☆07）を説くのにふさわしくない。もし改心できれば、使徒パウロのように最良の師となることもできるだろう。しかし、そうした情熱がなく、助けようと思えばできるのに不幸な同胞の窮状を黙認してしまう者、このような人間の改心や協力を計算に入れてはならない。彼らには愛が欠けているからだ。愛のない人間など、人間だろうか？――打てば響くだけの金属片や貝殻にすぎなかろう。

もし君たちが慎ましく生活し、窮乏者に喜んで自ら分かち与えるならば、君たちの語る言葉は乾燥の大地に実りをもたらす降雨となるだろう。

節度（Mäßigkeit）はあらゆる秩序の保護者（Erhalterin：語尾 in は女性名詞を表わす）であり、財産共同体の根本条件である。

節度の喪失はいっさいの地上の幸福の破壊者（Zerstörerin：語尾 in は女性名詞を表わす）であり、財産共同体の非和解的な敵となる。

今日の我々の生活を取り巻く状況は、放埒極まりなく節度を失したものである。一方ではほとんど、あるいはまったく働かず、贅沢三昧に耽溺する者がいる。そうかと思えば、他方では過度に働きつつ、しばしば窮乏に陥らざるを得ないいっそう多くの人々がいる。

財産共同体には無為徒食の特権はなんら存在しない。それは、永続的な安寧の中で不安なく暮らせるという、社会の共同権利 (das gemeinschaftliche Recht der Gesellschaft) である。大多数の人間はけっしてこの権利を否定などと試みたりはしないだろう。なぜなら、それは大多数の人間にとってまさに自己の権利だからである。

君たちは、喜んで実現したい願望を懐(いだ)いている。君たちは、自身の窮状を打破するか、あるいは安寧を保障するべく、ときにこれを、ときにはあれを、というように財貨を求める。君たちは自分の目ぼしいものを手に入れるために働きずくめだ。期待と忍耐が自分について離れない。

君たちは言うだろう。自分の願望は節度を逸脱していないし、他人の権利を侵してもいない、と。だから遠慮なく主張してよい。財産共同体はそのすべてを成就することができる。財産共同体は受け取った財 (☆08) を無慈悲に (☆09) 分配したりはしない。将来この旗の下に集う者は、その世界を自分の所有 (Eigenthum) と見なすことができるだろう。

社会的平等 (die gesellschaftliche Gleichheit) が確立された状況下で、君たちが日常の仕事を果したと想定してみよう。君たちはそこで、自分の仕事の代価として得るものを待ち受けるには及ばない。ただ、自分が必要とするものを受け取ればいいのだ。

たとえば、君たちは、自分の好みとか食欲とかに応じて食べたいとする。—それができる。なぜなら、何であれ、たっぷりあるからだ。

君たちは、仲間と一緒にビールやワインを飲みに行きたいとする。—支払いを必要とせず、毎日それができる。

君たちは、家族と共に数時間の遠出をして、田舎で夜の食事をしたいとする。——あちこち自由に往来できる。リフレッシュのため僅かで惨めな休息を得ようと一週間（☆10）も待つ必要はない。毎日が日曜日だ。行こうと思えば毎日でも劇場や舞踏会に行ける。さて、仮に毎日ポケットに一杯の金を持っていたとして、それは以上に述べたことと同じことではないだろうか。実際には持っていないのだが。

君たちはたいへんな旅行好きだ。――いいだろう、旅行するがいい！労働時間が終われば、毎日でも小旅行ができるだろう。

たとえ徒歩で旅行するにしても、週に30時間は可能であり、汽車を利用すればおそらく300時間分も可能となる。そして君たちは好きなところで家族と食事を楽しみ、同胞と親しく交わる。今日、いったいどんな金持ちが、君たち旅行に見合うような旅行を実現してくれるというのか。

ところで、時として不自然極まりない大食家や大酒家がいる。もちろんまれな事例ではあるが。彼らは自分の欲望が満たされなければ、わが身を不幸だと思う。たいていは子ども時分からの育ちによるものであり、それを教化すれば止（や）んでしまう。古い諺にもいうとおり、生まれつきの大食家はいない。それは作られたもので、つまりはそのように育てられたものなのだ。このような例外的事例は、これを無節制という悪徳の一つに括りたくないとすれば、いずれにせよ病気の部類に入れてよい。きっと将来の医者は、こうした輩に見あう薬剤について知り及ぶことだろう。

労働はもはや負担でなくなる。時間短縮や人員交代によって、労働は楽しみに転じていく。ある人の労働時間は午前、ある人は午後、そしてまた別のある人は夜というように。自分の労働時間に最も好都合な職業を選択し、同様の人たちと一緒になる。パン職人は一晩中パンを焼く必要はない。夜の半分は眠っていいし、翌日の日中は休み、それどころか日中は毎日休みだ。仕事場で夜に使用しているオイル、光源、ガスなどを、我々は劇場、ダンスや講演のホール、読書や演奏会の集まりに用いることができる。我々のすべてが生存、安寧のために必要とする労働は、薄暗いランプで健康や視力を衰微させるものではない。なぜなら、我々はもはや浪費家の怠け者のためでなく、自らのために働き、たんに窮乏をなくすだけでなく、余剰を生み出すために働くのだから。

しかしながら、金儲けをするとか単独で所有するとか、そういうことの為し得ない生活環境が如何に快適なものであるか、多くの人々は分かっていない。君たちは、望めばもちろん金儲けをすることもできよう。それを望むかどうかは君たち次第だ。だがそれよりも、芸術や学問といった、前進していく人類の真の財貨で、自身を豊富化することである。それは、同時代のみならず後世までも続く名声と名誉を有する人類の、幾重にも倍加された関心事である。さて君たちは、この格言を覚えてはいないだろうか。君たちは錆がつき虫が食い、また泥棒が忍び込んで盗むこの地上に、宝を蓄えてはいけない。なぜなら、そこには君たちの心もあるからだ。「マタイ」19節〔6章〕(☆11)。だれも同時に二人の主人に兼ね仕えることはできない。お前たちは神と財神(☆12)の双方に兼ね仕えることはできないのだ。「マタイ」24節〔同〕(☆13)。

財貨の取得に制限を義務付けてこれを超えられないように定め、その余剰で国庫の必要経費を支弁する、その程度までなら容認できるという人もいる。しかし、この場合でもやはり労働と享受の不平等は残り、いわゆる金の働き(☆14)、あるいは無為徒食の権利は、依然として手つかずのままの社会の悪弊なのである。

よく気をつけるんだ。資本の分配を通じて獲得しようとする社会改良にして、その中で貨幣が主役を演ずるようなものすべては、けっして完全なものであり得ない。そのような財貨平等(Gütergleichheit)は、ラムネー(☆15)も言っているように、朝に造られても夕べにはもはや存在していないことがよくある、といったところである。働ける者すべてに信用貸付(Credit)を与えるという国営銀行(Nationalbank)の設立によってでは、労働者に対し、たんに仕事ができるための資金調達を保障してやるだけのことにすぎない。仕事それ自体は、自分で探さねばならない。しかし、各人が産み出す労働量、あるいはむしろ労働時間と定義してもいいが、それは平等な労働配分によってのみ定めうるものである。それが存在しないところで、各人がつねに職を見出す保証はいったいあり得るだろうか？ それから、社会は労働者に職の世話をしてやらねばならない。しかも、彼がこれまで社会に探しながら見つけられなかった有利な条件でだ。簡単に言うと、社会は国民銀行に加えてさらに国営作業場（Nationalwerkstätten）や集団作業場（Colonien）を設立し、そこで失業者のだれもが快適な条件で働けるようにしなければならない。しかし、この公共施設を維持していくためには恒常的な信用貸し、つまりは国家損失が必要となる。なぜなら、製作品は販売されねばならず、販売を促進するためには値下げせねばならないからである。だが、これによって国営銀行の信用貸しに損害や機能不全が生じ、同時に公共施設で働く者すべての安寧にもそうしたことが生ずる。国営銀行という中途半端な組織は、日増しに膨らむ国営施設建設の必要に迫られて挫折する。ただ、国営施設増強の要求は財産共同体の序幕にあたる。

さて、以上の点から明らかなように、真に労働者の利益を考える政府であるならば、国営銀行の設立だけでこれを実現することは不可能である。政府が金の助力（Hülfe des Geldes）で万人の安寧を達成しようと企図するかぎり、必ずや上述の手段をとらざるを得ない。しかし、国営工場（Nationalfabriken）、作業場（Werkstätten）、集団作業場（Colonien）が増大して生ずる危機に際して、政府独自の恩恵制度である国営銀行の挫折をおそれるあまり、むしろ好んで、国営施設（Staatsanstalten）の労働者、ないしは施設に関連した労働者の賃金を削減したり、労働時間を延長したりする。だれが、そうならないと保証するだろうか。この制度に関しては国営銀行の俗物たち（Nationalbank=Philisterschaft）全員が支持するであろうから、政府としては骨の折れることではない。実際、二つの労働階級の利害がほぼ真向から明白に対立している。国営銀行の援助を受けている人たちは、前借金にもかかわらず生計は困難で、国内で特別の一階層をなしている。そして、彼らの労働生産物は他の労働者のそれと競合関係にある。彼らは、現在でも同様の見通しだが、そうなればやがて全商品の価格が引き下げられるでだろうと見ている。ところで、高利貸や小売商の組合 (Wucher-und Klämerzunft) 全体が、商品価格の引き下げと同時に、国家に雇用されている労働者の賃金引き下げという政策に大声で賛成することは、想像にかたくない。また、国に雇用される者に同等の権利、あるいは特別な優遇ともいえる利益を与えるのは不当だ、とする声も少なくないだろう。

したがって我々は、資本を用いて考量された諸改革など信用しない。それはちょうど金融業者を信用しないのと同じだ。この両者に完全性を期待すべきではない。だが、しかけられた落とし穴に対して善良な人々が絶対にはまらないということはなかなかできない。大金を持っている場合にこれを使って減らしてしまうと、道徳的にまずく思われがちだが、それは我々がまだかなり高利貸の精神に捉われているからである。我々の世代は容易には抵抗できていないわけである。

貨幣は人類の贖罪の山羊 (Sündenbock) である。社会改良の理念を貨幣と切り離せない者は、きっぱりと貨幣の欲望と縁を切ることは困難だろう。言葉のこんにち的意味において、貨幣を手放さないでいるということと、不平等な享受、ならびに不平等な労働分配とは不可分なのである。つまり、諸身分の差異、欠乏と過剰、およびそこから発生する諸悪、このすべては、そのまま残存する。かつまた、貨幣制度を擁護する人々は、まさにそれを心地よく思っているのだ。なぜなら、隣人より些かなりと余分に所有するのを心地よく思っているからだ。職人や農民と同じ食卓につこうなどということは、彼らにはおよそ耐えられないのである。

だが、私は君たちに言いたい。知識や技能において他人よりも優っているからとして、もっと楽しみたい、なるべく働きたくない、そう願う者は貴族 (Aristokrat) なのだ。

他人よりも技能に優れ、学識が豊富だと、もし本当にそう思うのなら、加えて、気取らない慎ましさをも持ち合わせていなければならない。そうすればその才能を仲間たちは正しく承認するようになるだろう。

謹厳実直な人間にとって、同時代の、さらには後世の人々から受ける尊敬は、地上のどんな持ち物(Habe)にも優る。それは、たとえ王国の提供をもってしても買収できず、強要できないものである。

ある人の精神が特に優れていて、彼の徳性が地元諸衆の倫理に適っていれば、世論は必ずや彼にふさわしい場所をあてがう。その上で彼は、社会に対してもっとも有効に役立ち得るし、自らに寄せられた信頼を無にしないような機会を持てるようになる。しかし、そうだからといって、なにゆえに彼が我々の主人になるとか、我々よりも裕福な暮らしをするとかの謂れがあろうか。もしそのようであれば、今日の不義や不平等は依然として続くことになろう。

物質的享楽に生きる人はそれに報酬を見いだす。しかし、精神的思慮に生きる人はそれに報酬を見いだす。

学問および芸術の領域で熱意と進歩を鼓舞するという点に関しては、財産共同体が導入され、高利貸制度が最終的に解体した後は、巨大な果実が提供されよう。そこで人類は、高度の学問的教養を獲得することになる。なんとなれば、各人が、なんの差別もなく、それぞれの才能に応じてさまざまな知識を身につける時間と手段を獲得するのであるから。それが、現状では100人中99人までが知識を欠いて不自由しているのだ。

財産共同体は、いままでキリスト者のもとでは永続的な国家を築き得なかったが、それは、いつもきまってのことだが、権力者と僧侶の堕落があったからである。紀元3世紀まで、キリストの教えを威厳ある遺産として受け継いだ人々は、財産共同体で生活していた。キリスト教団に加入できる条件は、自身の財産を売却して貧しい人々に分配することだった。この掟を履行しなかった人は厳しく処罰された。聖書によれば、このような場合に死刑すら行われたという。「使徒行伝」6章5節(☆16)。

やがて数名の高位者のほか皇帝までも、この受け入れ条件の履行を乞うことなく新しい教義に迎えいれるに及んで、キリスト教的平等はついに崩れ去った。権力や富の放棄、自己卑下、犠牲行為は、キリストの教えの基礎だった。キリスト教がその信仰のうちに皇帝コンスタンティヌスを迎え入れ、その後、帝の方で僧侶を社会の上位に昇格させたことによって、社会が根底から揺すぶられたのである。

この時以来、キリスト教の純粋な原理は暗い闇に隠れてしまった。虚偽と暴力の王国が始まった。すでに数百万という人々がその悪意に満ちた爪につかまってしまった。そしてこの怪物は、闇に紛れ込んでたえず諸衆を心底で根絶やしにしている。

しかし夜明けが始まった。いま一度嵐が起これば、虐待され続けてきた諸衆は群をなして力を併せ、この怪物を地上から撲滅できるだろう。──

もし印刷術がもっと早く発明されていて、また初期のキリスト者のだれもが文字を読めたならば、おそらくコンスタンティヌスがキリスト者を統べる皇帝になることは殆どあり得なかっただろう。なぜなら聖書にはこう記されているからである。世俗の諸侯たちが支配権を行使し、君主たちが権力を振るっている。だが君たちの間ではそうあってはならない。君たちの間では、偉くなりたい人は召使いになれ。最大有力者になりたい人は万人の召使いとなることだ。「マタイ」20 章 25 節 (☆ 17)。

しかし、キリスト教のあらゆる宗派において、司祭たちはやはり聖書の言葉を用いて自らの誤謬を弁明しようとする。その上、比喩 (Gleichnis) を用いて話すとか (☆ 18)、使徒たちのちょっとした過失を自らの教説原則に然るべく取り入れるキリストの方法 (die Methode Christi) が、彼らには思い浮かぶのだ。

彼らの考えでは、聖書中の少なからぬ章句もそうだが、キリストの比喩を大衆に理解させるためには解釈が必要だ。つまり、曲解と捏造が必要だというわけだ。

しかし、大衆のもとに金持も国王もいないとなれば、大衆には解釈も曲解も不要であろう。もしそうなれば大衆は、ラクダが針の穴を通れないのと同様、富者は神の王国に達することはない、という章句を十分に理解するであろう (☆ 19)。だが、今必要なのはおそらく思慮に欠けた信仰以上のものであって、腐敗と欺瞞だらけの解釈に満足してはいられないのだ。

君たちはあらゆる点でひたすら厳格にキリストの教えに従うのだ。そうすればいっさいの誘惑に抗することができる。

使徒が当時の民衆に宛てた、社会的平等の原理に対する疑念を述べたもっともらしい手紙を引用して、君たちに対して臆病な奴隷根性、卑屈な臣従関係を甘受させようとする人がいれば、こう返答しなさい。だれにでも過ちはある。キリストの比喩的な言葉によれば、義なる人(der Gerechte)ですら7の70倍回も過ちを犯したのだ(☆20)。パウロはキリストの信仰告白者に激怒し、トマスはキリストを信じなかった。ペトロはキリストを否認し、ユダは裏切った。使徒もまた過ちを犯したりする人間であり、心ならずも疑念の手紙を書いたか、あるいは格別な考慮から、師キリストの原理に反したのではなかろうか。

君たちはキリストの隣人愛の掟を知っている。この隣人愛こそ、あらゆる人々が純粋であるか否かを見分ける試金石である。

言行不一致を弄する人を信じてはならない。彼らは意気地なしか、さもなくば詐欺師だ。いずれにせよ、民衆の教師としては危険である。

しかし、恵まれた境遇を自ら犠牲にして、隷属と抑圧からの人類の解放に尽力する人、真理と正義を説き、我々の解放に協力し、民衆を死の眠りから揺り起こして、抑圧者に対する戦列への参加を呼ひかけ、幸不幸を分かちあう人、この人こそ尊敬に値する民衆の司祭である。彼が君たちに説く宗教は偽りではない。それは平等とキリストの愛を説く宗教なのだ。

だが、このような人々を教会に見出すことはない。ましてや王宮に見出すなどない。奴隷状態の生活が君たちのまつ毛を濡らし、復讐の滾(たぎ)る思いが君たちの胸に宿るとき、君たちは時として彼らの励ましの声を耳にすることがあろう。牢獄が彼らのために建てられた宮殿であり、処刑台が彼らの華麗なるベッドなのだ。だが、神が彼らの復讐者となるだろう！

第２章　自己の義なる本分

自己の義なる本分において信仰と信頼を得るならば、君たちはすでにその本分をなかば達成したことになる。なぜなら、信仰は山をも動かすからである。目が見えずとも信仰する者は至福を得る。しかしながら、目的地に導くのは思慮を欠いた信仰ではなく、信念に根ざした信仰である。

さて、キリストの教えと自然とに基づく一つの信念がある。その信念とは、以下の諸原則の実現なしには、人類の真の幸福はありえない、というものだ。

1）自然法則とキリスト教的愛の法則（☆21）とは、社会のためにつくりだすあらゆる法の基礎である。

2）一大家族団への全人類の普遍的な結合、および民族性や宗教性のあらゆる偏狭な概念の除去。

3）労働の万人平等な分配と生活資料の平等な享受。

4）自然法則にかなった男女の平等な教育、ならびに平等な権利と義務。

5）各個人の相続権・財産の全廃。

6）普通選挙による指導役所の設置、そしてその責任とそれを罷免しうる規定。

7）生活資料の平等な分配に際しては、指導役所に特権は存せず、その職務は他者の労働時間と同等であること。

8）各人は、他者の権利を犯さない範囲で、行動と言論のかなうかぎりの自由を有する。

9）万人が精神的・肉体的素質を陶冶（とうや）し完成させうる自由と手段の確保。

10）犯罪者は、彼の自由と平等の権利を処罰されるだけであって、けっして死刑はありえず、社会からの終身追放によって名誉が剥奪されるだけである。

以上の原則はわずかな言葉で総括できる。つまり、汝自身を愛するがごとくに汝の隣人を愛せよ、である (☆22)。

このような原則、およびその実現なくして人類の真の救済を期待することはできない。数千年にわたって人類に多くの涙を絞り出させてきた悪の数々は、諸民族の辛苦を通じてこの原則が首尾よく実現する日までは、姿を消すことがないだろう。

手仕事で乏しい生計を立てている諸衆 (die Massen) は、我々が支援する物質的利益によって、また、傲慢と奢侈ゆえに彼らの癪(しゃく)の種となっている富者や権力者に対する憎しみからも、確かに我々の旗の下に集うだろう。

だが、財産共同体の真の姿を伝えて諸衆を啓発するという、この新しい教義の使徒が必要である。諸衆はそのような教義において溌溂たる信念を培い、そしてその信念はあらゆる誘惑や欲望に抵抗する。また、この立派な本分が予期せざる災難にあって信仰に動揺を来すこともないのだ。

古い体制が崩壊した後、庶衆 (das Volk) が新しい社会秩序へと迅速に歩を進め得るよう、無秩序状態に陥るとか、何らかの専制君主の手中に帰するとかのないよう、前もって啓発しておく必要がある。

同胞に目的地に至る道を指示し邪道を戒めるのは、一つの神聖な義務である。偉大な、敵対者の多い、そしてまだどこにもその実現を見ていない真理を胸に秘める人は、重大な責任を負っている。すべての偉大な真理、すべての良きもの、完全なるものは天からの賜物であり、光の父の賜物である (☆23)。

君たち庶衆の教師に対して、1800年前にすでに以下のように説かれている。汝らの光を世の人々に示せ、下に隠してはいけない、と (☆24)。だが、まだ多くの人が、進取の精神を持つにもかかわらず、その光を下に隠している。おそらく、屋外の暗闇を吹き抜ける風に晒されたくないのだろう。防風壁に囲まれた快い静寂の中で徐々に消えさせたいのだろう。そのためにしばしば光を求める旅人が壁に遮られてしまうのである。

真理を告げる言葉に人類の敵は耐えがたい。なぜなら、それは彼らの力と存在を脅かすものだからである。そこで、この真理の告知を抑えるため、有史以来すさまじいばかりの刑罰が考案されてきた。その一部は今日の文明にまで伝えられている。

現代の監獄、刑務所、ガレー船、断頭台は、その恐ろしい証拠である。

そしていつの時代にも、新たな殉教者が陸続と押し寄せてくる。罪をはかる容器が溢れて悪人どもの頭上にこぼれるまで、殉教者は絶えることがないだろう。

それから、君たちはその次の文を読んで聞かせることだ。人をはかる容器で、君たちもまたはかりかえされるだろう。しかし、裁いてはならない。自分が裁かれないためである（☆25）。

敵との調停でなにかを得ようなどと考えてはならない。君たちの希望はもっぱら君たちの剣にかかっている。彼らと調停するたびに不利を招くばかりである。これについてはもう幾度も経験してきたことだ。まさに、その経験から利益を引きだすときだ。真理の道は流血によって切り拓かれねばならないとは、悲しい経験である。だから、キリストはこう教える。

地上に平和をもたらすために私が来た、などと考えてはならない。平和ではなく、剣を与えるために来たのである。「マタイ」10章34節（☆26）

労苦を味わっている人々、貧困に苦しんでいる人々、双方の生活苦にはないものの、全財産を犠牲にして他人の苦痛を緩和しようとする人々、これこそ、我々の旗のもとに集い、我々の隊列に加わって戦う人々なのである。これ以外の者はいっさい信じるな。とりわけ、役職に就かせないよう警戒せよ。

仕事と生活財の平等な配分に係わる公務を、利己的な人間、また要するに社会的平等の原則によって行動しない者に委任することは危険である。君たちは、山羊を庭番に使ったりしないはずである。

しかし、ただ自分たちと意見を異にするというだけで、その人を敵視してはならない。我々にしても、純化していくまでに数々の似たような過誤を為すだろうからだ。

だから、他人には神聖なものを攻撃してはならない。それが我々を攻撃する武器として敵の手にあるのでない限り、正義の本分達成に向けて、これを容赦するべきである。捕えた敵の生命もやはり神聖不可侵なのだ。敵対してこない人たちの財産もすべて同様である。なぜなら、所有物の権利に対する偏見は根深く、力づくで過剰分の引き渡しを要求すると、不公平だと見なすだろう。なんのことはない、君たちはますます敵の数をいっそう増やすだけだからである。

刈入れの日までは、よい草も悪い草も一緒に生え放題にしておこう。――(☆27)

貨幣制度なき財産共同体の可能性と長所を明らかにするには、以下に挙げるような社会憲章の草案が役立つだろう。

この草案は、私をも含めて、これまでたとえばフーリエやその他多くの人たちの財産共同体案を読む機会に恵まれなかった人々を対象にしている。ここに挙げられたものが社会改革の完璧な理想だ、などと言うつもりはない。さもなければ、知の泉は汲み尽くされたと見なさねばならなくなる。各世代は個人の場合と同様に、完成についてそれぞれに固有の概念を有する。人間は完成に向かって無限に歩を進めて行くことができる。しかし、この人生で完成に達することは不可能である。

完全性、それは全能の神のことである。これに向かって努力するというのは、神に似るというに等しい。

これまでに作られてきた社会改革の草案は、すべてその可能性と必然性を証拠づけるものである。社会改革に関する著述が多ければ多いほど、庶衆に対する説得力もまた増していく。だが、これについての最良の著述は、おそらく我々の血によって書かれねばならないだろう。

憲章の選択は社会自体に、つまりその構成員多数に委ねられている。そして、時代状況がこの多数者の意向に大きく寄与する。財産共同体には様々なシステム上の差異があるが、これから実際に適用される場合にはその差異は消えて結局は同じ課題を担うことになる。すなわち、全人類の大きな家族同盟に向かうのである。社会の状態をこのような形で完全なものにしていく作業が、たとえ重大な障害に阻まれようとも、それは我々の終始変わらぬ努力目標である。鎖とて死とて、我々の決意を揺るがすものではない。なぜなら、我々が生きるのは主によって生きるのであり、我々が死ぬのは主によって死ぬのであるから。生きるにせよ、死ぬにせよ、我々は主のものである（☆28）。

第3章　人類大家族同盟の憲章

個人ならびに社会からなる人間生活の根本をなす条件は二つある。それは労働と享受である。もっとも完成された社会的共同生活は、この二つの条件が社会に属し、自然とキリストの愛の掟に基づいて行動する全構成員に双方が平等に配分される、というところにある。

最高の理想にして、地上の幸福と神のごとき完成のもっとも重要な土台である社会的平等は、人間生活の二つの根本条件、すなわち労働と享受に応じ、二つの組織によって存立する。大同盟の各構成員は、この二つの組織において、普遍的平等の原則に基づいて行動することを義務づけられる。この組織の第一は家族組織（Familienordnung）もしくは享受組織（Ordnung des Genusses）であり、いま一つは労働組織（☆29）である。

家族組織

家族組織は家族を単位とし、それぞれの家族はその最年長者（☆30）の統率下にある。

およそ1000家族で一つの家族連合（Familienverein）を構成し、家族連合所轄局（Familienbehörde）を選出する。

10の家族連合で一つの家族区（Familienkreis）を構成し、前者と同様に共同で（gemeinschaftlich）選出するか、もしくは家族連合所轄局の選挙という手続きで、区所轄局（Kreisbehörde）を選出する。

各区所轄局は、大家族同盟議会の代議員を選出する。さらにこの議会で一つの評議委員会（Senat）が選出される。評議員会は大家族同盟の最高立法機関である。

労働組織

労働組織は、農業団（Bauenstande）、工業団（Werkstande）、教育団（Lehrstande）、および産業軍（Industrielle Armee）からなる。

農業団

農民10人で1小隊（Zug）を構成する。そして、農業労働の指導・監督にあたる小隊長を選出する。小隊長10人（☆31）で1人の農業委員（☆32）を選出する。

農業委員は農民100人の作業長（Geschäftsführer）である。彼は委任された仕事を各小隊長に平等に配分し、かつ、作業の忠実、正確な遂行を監督する。農業委員10人が農業理事会（Landwirthschaftsrath）の理事1人を選出する。

農業理事会は、個々の農業部門、すなわち穀物、葡萄、ホップ栽培、果樹栽培、養蜂、養畜等々の部門で1名の議長を選び、これを大同盟の本省（Ministerium）に送り込む。

この本省は、農業団、工業団、教育団の各分野から同様の手続きで選出された議長によって構成される。

工業団

この部門（Classe）には、手工業、技術、機械、工場労働に従事する全員が所属する。

農業団の場合と同様に、（構成員）10人ごとに工業長（☆33）、（構成員）100人ごとに職長（☆34）を選出する。さらに職長10人（構成員1000人）ごとに作業委員（Werkvorstand）が選出される。

作業委員100人（構成員10万人）を含む区域で、一つの職長会議(Meistercompagnie)が存立する。これは、全体の安寧に有用な発明、発見をした労働者で構成される。職長会議と100人の作業委員が連合して、工業理事会(Gewerbsausschuß)の理事1人を選出する。これは、農業理事会が農業団において持つのと同じ地位を、工業団において持つ。工業理事会は個々の工作部門から1名の議長を選び、これを大同盟の本省へ送る(☆35)。

各人は、教育施設で修得した予備知識によって、これら二つの団に同時に所属しているが、各自の興味関心によって、その中のさまざまな部門で働く。したがって、ある部門の作業委員が、収穫期に、あるいはそのほか必要な時期に、単純労働者として畑で共に働くということもありうる。

各人は随意に一つの作業、または幾つかの作業に、並行して専心することができる。その目的のため、仕事は2時間ごとに交代される(☆36)。

教育団

労働組織の3部門（農業団・工業団・産業軍）で、長年の研究を必要とするすべての任務が、この団体に委任される。

この目的のため、個々の家族連合は教育施設を持つ。個々の家族区は若干の技術・職業学校と、さらに一つの高等学校を設ける。10家族区ごとに、もしくは人口100万ごとに大学が設置される。

大家族同盟の大学教授たちは、個々の学部で議長1名を本省へ送る。

そのほかに個々の大学、すなわち高度の学識を得ている研究者は、学識者委員会(Gelehrtenausschuß)のために、構成員中から10名を選出する。

この委員会は、農業理事会、工業理事会の場合と同じく、新しい選挙で改選されるまでその任に当たる。

評議員会(Senat)は、学識者委員会から数名の教授を選出し、これを教育団の占めるべきすべての重要な役職に配する。評議員会は、前者の場合と同様に、農業理事会から人口 100 万に 1 人の割で指導官ないしは監督官を選び、また工業理事会からも大規模な工場の管理者、ならびに書記を選出する。——

個々の教職者には、いずれか一つの手仕事 (Handarbeit) の修得が義務づけられる。本務に定められた労働時間を余す場合に、彼はこの手仕事をもって補充する。

各人は差別なくその興味関心に即した授業に参加することができる。

大学および高等学校の授業は、成績優秀な学生に対してのみ、労働時間に算入される (☆ 37)。

第 4 章　同盟の普通労働に対応する産業軍

健康で活力ある人はすべて、3 年間ここで働かなければならない。

その労働時間は他の産業部門におけると同様であり、勤務年齢は 15 歳から 18 歳までである。

彼らは 100 人以内の監督者 (Aufseher) を選出する。そのほか、ここで行われるさまざまな労働の指揮者 (Leiter) など、学問的知識の要求される人員については教育部門から補われる。

監督者は、もっぱら勤務年限終了後なお産業軍に残る人員から選出される。

労働時間以外は、あらゆる種類の教育施設が自由に使える。この施設は、3 年間の勤務期間に随意の職業知識を習得したり、勤務前に経験したり学生時代に訓練したりした職業知識について、いっそう改良するために設けられている。

3 年を経過していまだ予備知識を修得していない者は、一定期間なお産業軍に留年せねばならない。それでもなお、監督者への選出はあり得る。

産業軍はさまざまな部隊（Corps）に分かれ、各部隊はそれぞれ独自の仕事を引き受ける。

ある部隊で志願者が不足している場合、充足している部隊でその分を抽選し、不足している部隊に引き渡さなければならない。

各部隊員は 6 ケ月ごとに他の部隊への移転を要求できる。

あらゆる困難な仕事を自発的に引き受ける部隊が存在する。この部隊に志願して 1 年間勤務すると、残り 2 年間の義務が免除される。

ここでの義務年限が終了すると、投票権を得るか、もしくは成人と見なされるかする。

それまで全部隊員は、かつて両親や教師に示したのと同様、上司に対してきちんと服従義務を負うが、それはすなわち、与えられた仕事の遂行に関しての服従である。

産業軍は軍隊式に組織され、評議員会（Senat）の直接の（☆ 38）指揮下にある。産業軍は仕事に就く地域で家庭に宿泊する。そのため、各家屋には外来者用の部屋がある。

産業軍の仕事が人家のない地域に長期間限定される場合は、その地域に簡易住宅が設営される。

産業軍は、評議員会が指示するあらゆる作業を引き受ける義務を負う。

産業軍が従事する仕事のうちもっとも主要な部門は、鉱業、鉄道およびダム建設、運河、道路、橋梁の建設、森林の間伐、湿地干拓、不毛地の大規模な開墾、車輛、生産物の運輸、港湾、道路、建造物の整備、ならびに遠隔地の開拓である。

青年がこのような仕事を通じて強靭（きょうじん）になれば、血の色がなくて青白いとか、熱っぽいとか、病気がちとかの世代はなくなる。そして、身心ともに健康な新人類（ein neuer Menschenschlag）が、彼らの間から育ってくる。

第5章　評議員会 (Senat) と本省

前者は家族組織 (Familienordnung) の選挙に基づく大家族同盟の最高立法機関であり、後者は労働組織 (Geschäftsordnung) の選挙に基づく同最高執行機関である。

家族組織は全員の必需品を担当し、労働組織はその供給手段を担当する。

評議員会は，家族組織あるいはその全員の必需品の平等な配分に関して、その管理を簡素化するために、10 家族区 (Familienkreise) ごとに、したがっておよそ 100 万人ごとに一人の管理主任 (Direktor) を置く。

管理主任は、それぞれの地区 (Bezirk) で産する財貨のうち、その地区の需要を差し引いた剰余分を評議員会に申告して、その数量につき正確に報告しなければならない。

地区の需要に応じて管理主任に引き渡される一次製品および加工製品の平等な配分に関しても、同様に報告しなければならない。

管理主任全員の提出する目録の総計によって、評議員会 (Senat) は大同盟の全構成員の必需品の量と質とについて、正確に知り評価できる。これに基づいてできた全構成員が行うべき仕事の目録が本省に引き渡される。仕事は本省内部で細分され、各部門 (Classe) の議長がそれぞれの仕事を引き受ける。たとえば建築部門の議長は建物を、家具部門は家具を、農業部門の者は葡萄栽培、またある者は穀物栽培を、化学部門は鉱業を、等々。

ついで各部門の議長は、委ねる仕事の量と質を（農業団の）農業委員 (☆39)、（工業団の）作業委員、産業軍の上官に配分する。これらの者はさらにその選出母体に配分し、こうして各個人に至る。

評議員会はそれぞれの組織部門 (Geschäfts) から選出された者を通じて、すべての労働を管理する。評議員会は同盟の全構成員の安寧に必要なすべての対象、すなわち食糧、住居、衣服、芸術と学問、娯楽と慰安などを、全員に平等に配慮する。

改選は毎年、あるいはそれに代えてせめて3年に1度は行われるが、これは同盟区域の規模による。

評議員の改選は、つねにその3分の1のみである。

評議員の3分の1が任期を終了するのをまって、同盟議会(Congress)の議員もその3分の1が改選される。

評議員会の議決は3分の2の多数決による。

この多数決が得られない場合は、同盟議会の絶対的多数(die absolute Mehrheit des Congresses)が決定を下す(☆40)。

本省の構成員が再選される、ないしはそれが複数回にわたる場合、その構成員の新たな任期は再選のたびに倍加する。

労働組織のうち、女性が協働しているすべての労働部門では、女性もまた選挙権、被選挙権を有する。

第6章　一般規定

個々の家族は、家具調度品が整い庭付きの広い住居に住む。

家屋の清掃や十分な管理は、家族構成員の義務である。家長(Der Hausvater)もしくは家族の最年長者(Famlienälteste)は、この義務の遂行を監督する。

子どもたちは6歳までは家庭にいるが、それ以後は学校の施設(die Schulanstalten)に移る。

諸家族は相互に共同の賄いを維持する(Die Familien halten mit einander gemeinschaftliche Küche)。

料理当番は日々の食糧を家族連合の倉庫から受け取る。家族連合は月々の食糧を家族区の倉庫から受け取る。家族区は、連合の内部で必要とされる一年分の糧食を、区の内部で産出する食糧でなく、評議員会の指示に基づいて受け取る。

一般的な安寧、収穫の状況、季節の産物、それに居住者の趣向などによって、メニュー選びや食卓の過多過少が変わってくる。

各家族区には、個々の家族が趣向にあわせて営む小さな家庭園のほか、大規模な共同果樹園があって、そこで実ったフルーツは共同の食事（Gemeinschaftliche Tafel）のデザートにあてがわれる。

すべての旅行者は、彼が宿泊する家で、そこの家族と同様の権利（Gastrecht）でもてなしを受ける（☆41）。旅行者が、同盟管理のための業務出張ではなく、一般に定められた労働時間を超えて滞在するとき、彼はそれを協働者と分け合うか、あるいは交易帳簿（☆42）から差し引くかして処理せねばならない。

旅行者にはかなう限りの便宜がはかられる。業務旅行、つまり所轄局の委託による出張では、交通機関利用に際して特典がある。

便利、美観、経済性等の考慮された新建造物の設計は、すべて本省で立てられ、評議員会の承認を経て、一般建築物部門の議長を通じ、その選挙人である一般建築物部門によって施工される。

衣服用の生地、建築や家具用の材料等も、同様に本省の設計に基づいて製作・調整される。

衣服等の型や形式は、家族連合所轄局が各職場の作業委員の関与を得て決定する。

家族連合が指定した形式の家具、衣服の製作に要する労働時間は、これに関して本省が査定した時間を超えてはならない。もし超過した場合には、交易時間（Commerzstunde）によって調整されねばならない。

第７章　交易時間（Die Commerzstunden）

労働と生活財の平等な分配、それだけでは人類に永続的な幸福を叶えてやることができない。厳密な、あまりにも物差ではかったような平等は、疲れはてて飢えている旅人に一皿の塩味の足りない料理をあてがうようなものだろう。初めは貪り食べるが、やがて日に日に味気なく感じられ、しまいには見たくもなくなる。

つねに溌溂（はつらつ）とした人間精神には、思い切り動き回ることのできる活動の余地が必要だ。それがないと退屈に襲われてしまう。

いかに几帳面な財産共同体でも、6時間の労働時間とは別に、人間精神を十分に満足させる活動や娯楽が許容されている。あらゆる学問講座を履修できるし、また公共のお祭りや娯楽に参加したりもできる。しかし、自分の自由な意志や趣向によって振る舞えないからとか、しばしば単に他者に優越したいからとかで不幸を感じるような、そういった性急な感情の人間もいる。

ある者はあれこれの日には働きたくないと思う人がいる。また、同盟の服装や家具が気に入らない人もいる。また、普通の献立表にないあれこれを飲み食いしたい人もいる。時打ち懐中金時計がほしいが、分針のないものはいやだという人もいる。またある人は、室内時計がほしいが、お気に入りの音を打つものでなければならない、等々。こうしてだれもが、自分だけの要求、自分だけの欲求を持つ。人間の物欲しげな眼は、ある眺めに飽きたかと思えば別の眺めを求めて広い余地をさまよい泳ぐ。そしてこうした欲望は、人間精神の休みなき活動によって、さらに果てしなく増幅していく。

人間の精神活動はますます活発になって、現在よりもはるかに大きな余地を必要とするようになろう。財産共同体が平和のうちに20年を経過すれば、全員の安寧や生活享受に必要な労働時間は、1日当たり5時間から3時間へと容易に短縮できるのである。

したがって、社会的平等の原則は個人的自由の原則と密接に一体化していなければならない。おそらくこれによって、現在我々が承知している多くの要求はさらに増えるだろう。しかし、この増加はもはや社会の負担とはならない。この不要不急の欲望を抱く諸個人だけが負担することになるのである。

社会的平等の範囲内で個人的自由の伸長を然るべく規定することは、将来的に財産共同体で生活する諸世代にとっても、新しい、より完全な法則を作る際の要素として役立つだろう。やがて人類は最高の理想に、今日では考えも及ばない完全無欠の地上にますます接近する。そこでは自由も平等も、人間の手になる法則を必要とはしない。それにかわって、愛と調和が第二の自然になっているのだ。

さて、そこで財産共同体の設立に際しては、他人の権利の範囲外で、人間の多様な傾向を認め、人間にとって自然な自由への衝動に対して、かなう限りの余地を与えることになる。そのため、全員に規定された労働時間のほかに、各人に自発的な労働時間あるいは交易時間が設けられねばならない。

交易時間は、もはや労働しなくなった老人たちのもとで管理される。

社会の個々の構成員は交易時間を記入する帳簿を持つ。

ある業務に労働者が集まり過ぎる場合、この職場は閉鎖される。すなわち、ここの業務では自発的な労働時間、もしくは交易時間はあり得ない。

労働者が緊急に必要となっている職場では、つねに交易時間に対して開かれる。

産業軍はどの業務にあっても、交易時間を止められることはない。

産業軍の労働者に対しては、交易時間による労働が常時受け入れられている。ところで、交易時間の場合は、だれでも予備知識なしで働くことができ、また、予備知識はどこでも学べる。だから、ある職場が閉ざされたからといって、だれも交易時間の権利が奪われてはいない。

家族連合や家族区は、必需品に含まれるものではないものの、構成員の多様な嗜好に応じたさまざまな製品を作るために、工房ないしは工場を建設することができる。ここでつくられた製品は同盟の倉庫ないしは陳列所に引き渡され、ここで交易時間と引き換えにされる。

家族連合、家族区の工房の製品が引き渡されるこの陳列所は、老人もしくは他の仕事に従事できない構成員の管理下におかれる。

それらの工房、工場で作られた製品は、すべて労働時間（☆43）によって評価される。

これらの製品に要する原料や部品の消費が全体の必要を圧迫する恐

れのあるとき、評議員会は、労働時間よりも交易時間で評価する権限を持つ。

この交易製品の製造に携わる労働者も、他の作業場と同様に組織される。彼らの労働組織が単独で議長1名を選出できるだけの員数に欠ける場合に限って、同一の原料を使用する類似の職業部門と合流して選挙を実施する。

ところで、労働者が国の指定服(Nationalkleidung)以外にあれこれの衣服を着たい、あるいは必需品でない物品が欲しいと思った場合、彼の交易帳簿に記載されている余剰の交易時間から、その物品製造に見合う労働時間を控除し、その分を陳列所(Ausstellungssaale)の台帳(das Große Buch)に記録させることになる。このようにして、不急不要な物品に使用された労働時間は、物品使用者によって繰り返し埋め合わされる。これによって社会が失うものは何もなく、しかも個人は利益を得る。というのは、労働時間と交易時間の交換においてはその労働者に返済すればいいのだから、今日におけるように、ここで高利貸(Wucher)や無為徒食(Müßigang)を肥えさせるに及ばないのである。

全産物の価値(der Werth)は労働時間によって算出される。

仕事はすべて、その目的で建てられた施設において、職場(Geschäft)で選出された支配人ならびに所轄局に任命された会計官(Rechnungs-führler)の監督下において為される。ただし、労働時間(Arbeitsdauer)がよく知られている些細な手仕事に関しては、その例外とする。

交易時間によって調達された物品は、当事者の死後は陳列所に返却され、交易時間によって再び搬出され得る。

こうして交易時間に余剰が生じた場合には、毎年普通に実施される職場閉鎖(Geschäftsperre)によって平均化される。閉鎖の期間は、産業軍の労働もしくは農民団において、同量の交易時間が得られるまでである。

農民団の畑仕事が緊急の度を増す時期、この普通に実施される職場閉鎖は収穫期にその都度実施される。この方策は、労働組織(Geschäftordnung)における適切な均衡を絶えず維持し、有益かつ緊急を要する業務のためにはつねに十分な数の自発的労働者を常に確保するのに役立つ。

貨幣 (Geldstück) はすべて、とりわけ金と銀はすべて溶かされ、それで日常製品が作られる。

交易時間の記入帳簿 (Einschreiberbücher) が金銭 (Geld) にとってかわる。

スパルタ人は、富の蓄積を防止するために大きな鉄貨を使用した。それは、あらかじめ酸に漬けて錆させておき、ほかの目的には使えぬようにした。これらの貨幣が場所をとるためにその山積と、そこから生ずる不平等が防止されたわけである。

紙と印刷術が発明されて以来、人類は高利貸を阻止し、社会的平等を維持するもっと強力な方法を考え出したのだ。あとはただ、然るべく直ちにその方法を利用してもらいたいものである。

交易時間という方策によって、人類に好ましい嗜好が思いのままに解放される。贅沢品ですら、消費を妨げられるどころか、むしろ増えるだろう。しかし、それが放任されて公序良俗を損なうことのないよう、所轄局は交易時間を拡大もしくは縮小する権限を有する。そして、その作用が全体の安寧に有益な方向を目指すようにするのである。

この目的を達成するもっとも強力な手段が職場閉鎖 (Geschäftsperre) である。

第８章　発明の特典、または職長会議

職長会議 (Meistercompagnien) は、社会で有益な発明ないしは発見をした構成員からなる。

この構成員は、労働組織 (Geschäftsordnung において 1000 人以上の選挙人により選出された者と同等の投票権を有する。

この特典が継続する間、彼らは特定の労働時間に束縛されない。

彼らもまた他の労働者と同様に交易時間を得ることができる。ただ

し、少なくともその3分の1は、技術学校ないし職業学校で講義せねばならない。

個々の職業部門は、可能な限り一回もしくはそれ以上の職長会議を開催し、同部門でなされる新しい発明・発見の効用を審査し、また、それによって生ずる特典の継続期間を決定する。

この特典が社会から社会へと拡散していくことで、学問上および産業上の陶冶が前進し、全員の安寧と幸福が生まれるのである。なぜなら、知識の増大と改善は、それなしに安寧が不可能な、社会のすべてを活気づける生命だからである。

普遍的な効用がこの特典の条件である。社会に対して自己の精神的諸力の優秀性とその有益な適用を実証した人は、いっそう重要な貢献をなすだろう。だから、彼らには時間使用の自由を充分に与えるのが、社会にとって意味を有するのである。

人間は天賦の自由への衝動によって、可能な限り無制約でありたいと願う。この自由への願望は大胆な行動への拍車となる。人間の精神的・肉体的暴力はこの願望の表出である。

だが、荒々しい力は善にも悪にも向かい得るのであって、その方向如何によって、社会の益とも害ともなるのである。

欠陥のある機械では、それを動かす蒸気の荒々しい力がボイラー内に閉じ込められ、そこで働く全員に危険となるだろう。

欠陥をもって組織された社会において、人間の自由への奔放な衝動もまた同様である。

組織に欠陥のある現在の社会では、富者と権力者が労働者を犠牲にしてまったく奔放な自由を享受している。法律は彼らにとってほとんど皆無である。彼らは自分たちが為す犯罪にまったく別の名を被(かぶ)せる。それは彼らの作った法律では処罰に値しないか、あるいはなにがしかの罰金で帳消しにするものにすぎない。

しかし、彼らにとって実際のところなんの刑罰にもならない。あれやこれやの手管を用いて、この損失を労働者に転嫁する術を知っているからだ。

おまえたち金持や権力者はひどく下劣な盗人を軽蔑すべき存在のようにいうが、それでは庶衆は高尚な身分の盗人を軽蔑しないとでも思っているのか？

おまえたちが称讃する立派な財貨は、おまえたちや君たちの先祖があれこれの手段を弄して庶衆から奪い取ったものではないのか、おまえたちが我々に課す貢献や税金、おまえたちの資本を肥え太らせる利子、おまえたちが引き起こす破産、我々に押しつける偽りの、しかも費用の嵩む裁判、これらは盗みでないなどと言えるのか？――暗い工場や作業場で酷使されて若死する労働者たちは、おまえたちが社会に対して犯した殺人行為の犠牲者ではないのか？――おまえたちの牢獄、絞首台、銃剣が至るところで殺戮を説いて回ってはいないだろうか？――

もっとも軽蔑すべき盗みは、貧者に対するそれであり、もっとも軽蔑すべき殺人は、弱者に対するそれである。

今日の社会では、権力と金を獲得すればするほど自由になり自立する。それらを得ようと、そしてまたそれらを通じて可能な限りの自立を得ようとして、人はさまざまな歪んだ方策を追い求める。たとえば、商品取引や株式の投機、高利貸、買収、詐欺、等々。

然るべく組織された社会では、他人の権利を侵し、社会の平等を破壊する不法手段はすべて阻止される。各人はだれであれ、その才能という軌道上にあってこそ、自由への衝動のままに赴くことができるだけである。

今日では、金や権力を持っていれば、発明などに専念する必要はない。その金が元手になって、不正な手段でいっそうの収益をもたらしてくれる。資金がないのに発明や発見をすれば、完遂のための金不足から金融業者に相談せざるを得ない。すると金融業者は、貸付金以上の取り分はないにもかかわらず、発明・発見による収益の最大部分を契約で留保するのだ。

また資力のない貧乏人には、自分が最も携わりたい分野の知識を身につけることもできない。たとえ気に入った業務に就けたとしても、いつも気力一杯に業務を遂行するとは限らない。食料の心配や辛労、貧困から、彼には心休まる日が年間を通じてほとんどないのである。

財産共同体では、状況はこれとはまったく違っている。ここではだれもが平等に教育を受け、だれもが携わりたい業務を選び、そこで熟達する自由と手段を有する。なぜなら、この社会は進歩のための熱意をたえまなく刺激するべく、全力を尽くすからである。

加えるに、発明に与えられる特典あるいは個人に対する社会の特別な信頼がある。それは、彼が自発的に社会に貢献したことによる。そこで社会は、自由な時間活用 (Zeitverwendung) の選択を彼に任せるのである。

自由選択というこの特典の意味するところは、労働か無為かということになるが、もとより後者に服するものではなく、特典所有者の洞察力が新たな産物を創出するよう、彼に自由な活動の場を提供するということである。彼がその特典期間中になにか新しいものを成就すれば、彼に第二の特典が与えられる。もしそうでなければ、特典期間の経過後、任意の業務で就労することになる。

第９章　裁判職と更生施設

裁判職は、申し分ない経歴を有する高齢者 (Greis) に相応しい。

各家族区の選挙によって、30 名の高齢者が裁判委員に任命される。原告および被告はこの委員から各々６名を選ぶ。さらに、原告および被告は、相手側選出の委員から３名を忌避する権利を有する。残りの６名が被告の有罪・無罪の判決を下す。

選挙権をもたない未成年者については、産業軍の上官、両親、教育施設の教師が裁判権を有する。

刑罰は、犯罪で害された労働者集団もしくは家族集団からの、部分的ないしは全面的な排斥に存する。そのほか、公共の祝祭や娯楽への一時的な参加禁止という刑罰がある。さらに、交易帳簿（Commerzbuche）の記録抹消、肉や肉入りスープを禁じる精進料理の刑罰、最後に更生施設への収容、鉱山・植民地への流刑などがある。

産業軍には贖罪隊があり、犯罪者はここで刑に服する方法を自由に選択できる。

第 10 章　財産共同体の物質的利益

財産共同体の採用によって、経済は驚嘆に値する躍進を遂げるだろう。例えば、共同体へ移行した直後に必要となる新しい建造物で考えてみよう。ここでは、将来、豪奢な都市もみすぼらしい村落も生じないよう配慮される。

各家族連合の構成員は、五角形に配置されるように設計された５棟の共同家屋（die Gemeindegebäude）に住む。五角形の中央には家族連合の建物が置かれる。この建物には所轄局の職員の家屋と業務室、教育施設、貯蔵倉庫、郵便および輸送関連施設、旅行者および産業軍の宿泊施設、演壇付きのホール、劇場、天文台、電信局が含まれる。近くには家族連合の共同庭園がある。

共同家屋は、家族連合の残余すべての構成員用住居である。その目的のため、各棟には集会所、舞踏場および食堂、図書室、電信室、技術教室と職業訓練室、貯蔵倉庫、陳列室が設置されている。これらの建物の内部は快適で美観が良好で、しかも慎ましくあらねばならない。このため建物内の通路には雨風を防ぐガラス製の覆いが設置され、また、夏を涼しく過ごすための換気窓が備えられている。さらに建物の住居部分で室内温度が一定に保たれるよう、構造上の配慮がなされねばならない。また荷物の運搬が内部の通行を妨げないような配慮も必要である。共同家屋と家族連合の建物とは鉄道で結ばれる。したがって、共同家屋の間が徒歩で５時間の距離だとすれば、全家族連合の集合は30分で可能である。

我々は昨今、農民が、路上で靴が傷まないようにとそれを手に持って歩いたり、あるいは貝殻を背負うカタツムリのように手荷物を抱えた職人が辛い思いで世の中を放浪したりしているのをよく見かける。だが、馬や車、それにまた靴がないわけではないのだ。

こうした自己酷使（Selbstschindereien）はもう必要ない。農作業には馬車で向かい、馬車で帰ることになるだろう。しかも持ち運びできるテントで降雨や日射しを防ぎながら働くことができる。現在1600人分の食事の仕度をするのに300個のカマドを必要とするが、これは3個で足りるようになる。こうした節約は、暖房その他の火を使う仕事についても事情は同じである。したがって、財産共同体において新しい建物の完成後に必要となる燃料と比較すれば、もっかその9倍が浪費されていることになる。

現在、牛乳売りの女性100人が都市で毎日半日ずつ効率悪く働いているが、牛乳運搬車であれば1台で十分となる。市場の立つ日に一杯詰まったリュックを背負って都市へ出かけている地方民の多くも、同様に労力の無駄や時間の浪費を繰り返している。終日天秤を片手に働いている小売商人や行商人も同様である。彼らのすべてが、社会に対して、現在の10分の1の労力で同等に貢献することができる。しかも社会は詐欺や偽造といった危険から免れるのである。

ある地域では不作に悩まされ、他の地域では豊作に潤うというような事態はなくなる。

馬鈴薯しかとれない地域の人々が、なぜ葡萄酒を飲んではいけないのか、葡萄栽培の人々が、なぜ一片の肉を食べてはいけないのか？将来も相互に離れているかもしれないが、鉄道や蒸気車がその距離を今の10分の1に縮めることだろう。作物はいずれも、実りにもっとも適した気候、土壌の地域で栽培される。穀物のよく実る地域で馬鈴薯や煙草、蕪などを植える必要はない。葡萄の出来のよい地域で穀物を作らなくてもいいのだ。

また、畑を牧草地につくりかえる必要もなければ、牧草地を畑につくりかえる必要もない。肥沃な牧草地を有する地域では、住民の生活に農作物が必要だからとて、牧畜を減らしてまで耕地を得る必要はない。ただ、馬の頭数を減らすことは考慮することだ。独占が禁止され常備軍が廃止されることによる。またそれ以上に、鉄道の広範な普及といった事態が生ずるからだ。それから垣根や塀、堀など、そうした境界は不要であるから撤去しよう。農耕には全員が参加し、陽気で快活、そして力強く仕事に向かう。そこには互いを思いやる愛がある。なぜなら、もうだれもわが身を案ずるに及ばないからだ。甚だしい憂いや怨念を懐く嫉妬が人の心に巣食うこともない。いったいだれの幸福を妬むというのだろうか。それに、もしある人が気苦労しているとすれば、それはまた他のあらゆる人々の気苦労ではなかろうか？ 気苦労したとしても、もはや今日の奴隷のようではない。仕事に疲れ果てるということは、もはや決してありえない。豊かで健康的な食事が、失われた体力を十分豊かにしてくれるだろう。

あれこれの利益があることは明白である。したがって、財産共同体が５年も経過すれば、生産量は必ずや３倍に増えるだろう。

ところで、現在の窮乏は必需品の生産量不足によるのではなく、その不公平な配分の結果生じたものだ。したがって、財産共同体移行後における生産物の３倍増は、我々に莫大な過剰をもたらすことになる。過剰なのだから節制に努める必要はない。全員の安寧と食事の悦びを乱さないために、不節制を犯罪だと社会が宣言することだ。

財産共同体の導入当初から14日後には、確かにこの不節制から、我々の蓄えに対する幾多の掠奪が始まるだろう。しかし、飢えの世代が満ち足りてくれば、掠奪は自然に下火になる。人間は得難い事柄にしか欲を抱かないものなのだ。

毎日の食卓が豊かになるにつれ、節制は徐々に回復する。現在の腐敗した社会では、飢えるにつれ節制が失われるのと同様である。

ただ、共同体導入後の数年間に敵対者が原因で、つまり敵との闘いが全面的な物資の供出を必要としたり、あるいは倉庫が焼かれたり強奪されたりする異常事態に限って、必需品を厳正に配当する方策が是認される（☆44）。この場合、我々は最大の犠牲を払わねばならない。軍隊での必需分を控除した残りを、同盟の構成員で分けあうことにある。なぜなら、戦闘員は決して欠乏に苦しんではならないからである。非戦闘員は不自由に苦しむことになるかもしれないが、事欠くのはみなが一緒である。みなが耐え忍ぶときには、だれも困難と思わないだろう。少なくとも、我々が飢えたり凍えたりしている間に他人の口から豪華な食べ物がこぼれるとか、他人の衣装戸棚に何ダースもの衣服が見えるなどして憤激することだけは、もはやない。

さらに、もし人口100万人の地域で20万人が平等のために武器を取るとすれば、ほかの人々は戦争期間に、全員に定められた5時間の労働に加え、毎日3時間の超過労働を進んで負担し、こうして、必需品すべてを生産するのに必要な労働時間を損なうことはなかろう。

この甚だしい犠牲にもかかわらず、彼らは依然として今日の文明社会の大多数からみて遥かに幸運な生活を、物心両面にわたって享受することができるだろう。

財産共同体の可能性と必然性に関する以上の論証から、同時に、戦争期間における共同体の圧倒的な利点が明らかになる。他のいかなる制度といえども、このような努力を為し、このような犠牲を払うことは叶わない。ここでは人口わずか300万人か400万人の些細な地域が、必要とあればヨーロッパのあらゆる諸民族を敵にまわし、しかも赫々たる勝利を闘いとることができる。なぜなら、彼らは敵が前進する一歩ごとに勇気と努力を倍加していき、敵が後退する一歩ごとに同胞を解放し、それによって戦力を強化するからである。

第11章　叛逆と隣人愛の旗幟を！

財産共同体の理念が実現されれば、至るところに兄弟姉妹をみいだし、敵などどこにもいない。共同体で生活して3世代目ともなれば、単一の言語を語り、等しい慣習や学問的教養を身につけるだろう。

手工業職人、農民はともに博学となり、学者は職人、農民となる。

たんに自分の生まれ故郷を知るだけでなく、いろいろな地方や大陸を旅行するようになるだろう。至る処、すべて自分の故郷となるのだ。

第1世代は、彼らが知っている古い言語のいずれか一つ、もしくは自分たちで新たに作った言語を世界語（Weltsprache）とし、これをすべての教育施設で母語（Volkssprache）と並行して教える。第2世代は、この世界語をあらゆる家族組織、職業組織に導入する。そして第3世代は、生まれた時から教育施設に受け入れることによって、いっさいの母国語（Nationalsprache）を消滅させる。こうして一人の主（ein Hirt）と一つの羊の群れ（eine Heerde）になるのである。

幾多の偏見のせいで今のところ解決困難となっている事柄は、共同体に生活する第2世代には容易に受け入れられる。そして第3世代はこれを必然のこととして要求するようになる。

種痘が実施されるに際して、多くの親たちは子どもへの害を危惧してこれに反対し、なかなか信じなかった。今日、もし種痘を禁じようものなら、親たちはかつての実施の当時と同様、こんどは禁止に抗議することだろう。

ローマ皇帝アウグストゥスの時代に、ある人物が火薬と磁針を発明し、長年の実験結果として効力を確信するに至った、と仮定しよう。この人物は、おそらくつぎのような言葉で、その国の大臣に魂願するであろう。

私はこの些細なものでアレクサンドロスやカエサルの戦法を変えることができます。これで城を吹き飛ばすこともできますし、1時間の距離のところから都市を破壊することもできます。ローマの町は1分でひと山の廃墟と化してしまいます。3000歩も離れたところから貴国の軍隊を全滅させます。連戦連敗の兵士をたちどころに最強の兵にします。私は稲妻をズボンのポケットに入れて持ち運びできます。あともう一つ、私はこの小箱の道具で、たとえ暗闇の中でも嵐や岩礁に対抗できるのです。夜に航行する船でも昼間と同じように安全です。

たとえ陸地や上空が見えていなくても方位は分かります。

当時のローマ貴族たち、マエケナス（☆45）やアグリッパがこうした話を耳にしたとしたら、彼らはこの発明家を空想家と見なしたにちがいない。しかし彼は、現在なら子どもでも知っているような、きわめて実現の可能性のある効力について約束したに過ぎないのである。

現在のところ、新しい発明や発見、熟慮を重ねた真実が、やはりこれと同じような困難、同じような矛盾に出会っている。なぜなら、夥しい特殊利害や偏見がその前に立ちはだかるからである。しかし、結局は闇を抜け出る。それらは光の子（Kinder des Lichts）なのだから。

だから、勇気を持って泉を掘り続けよ、未来の世代のため滋養に富んだ泉を掘りあてるまで。

最初の闘いに勝利を収め、支配欲、専制、私利私欲といった古臭い絆を打ち砕いたならば、その後の新しい体制を選ぶにあたり、くれぐれも要注意である。

道路の改修と同じようにはいかない。凹みを砂や石で埋めて、その上を馬で進んだり、あるいは歩く、あるいは車で通るというわけにはいかない。

この場合、車は石ころだらけの場所を避けて、人の歩く平坦な道を通ろうとする。すると徒歩の者は、車で掘り返されたぬかるみに足を取られまいとして、やむを得ず石ころでひどく凸凹した道を歩かざるを得ない。

財産共同体は人類の救済手段である。それは義務を権利に転じ、幾多の犯罪行為をその根から断ち切ることにより、この地上をいわば天国に改造するものだ。強盗、殺人、窃盗、貪欲、無心といった嫌悪すべき語は、やがて各国の言語において廃れていく。これらの語句の悲しむべき意味を教え示すのは、世界史の書物だけになる。そして未来の世代の者たちは、これを知って尻込むことだろう。

ところで、我々は財産共同体の実現にどのような期待をもてるか、どうすれば共同体に到達できるのか？

それは、叡知と勇気と隣人愛とによってである。

蛇のように聡明であれ、鳩のように柔和であれ、そして身を滅ぼす者を恐れるな。

隣人愛は我々に強力な腕の軍勢を提供してくれる。

叡知は敵から武器を取り上げ、勇気は機を見て敵を排撃する。

抑圧者に対する納税を拒み、彼らの警官や憲兵を家から追い払う勇気のある者は、専制者を打倒する者と同じような、賞讃に値する。しかし、生きながらえることを考え、専制者から血と涙に染まった金銭を受け取って、同胞に対する絞首台や牢獄を建てる者、虐殺者が餌食を探し求めているのに怠惰に手を拱いている者、あるいは引き立てられる犠牲者を冷淡に見送る者、彼らは専制者の手先である警官よりも軽蔑すべきであり、哀れな奴隷よりも哀れである。このような卑怯者の名は人類の歴史から消し去ろう。なぜなら、子どもたちの記憶に留めるに足る価値のない名前だからだ。

才智と策略において、敵はつねに先んじていた。それゆえ我々は、勇気の点で敵を打ち破るのに好都合な武器がつねに不足していた。しかし、隣人愛に関しては、敵には思いもよらないことだった。彼らの軍隊はそれを服務の強制で補っている。兵士たちは、できることなら我々の戦列に加わりたいと考えているのではなかろうか。

自分の信念を貫いて戦う勇気と決断を立証せよ。我々はもはや貧困と抑圧を望まない、と旗幟に記すことだ。自らの指導者を自ら選ぶことだ。その際、富者や権力者に注目してはならない。指令長は、一番若い志願兵と一緒であって、もはや生活財を余分に受け取る権利などあり得ない。指令長は、敵に面したなら父親であり、食卓にあっては兄弟のようでなければならない。スイスにおける自由獲得は一人の農民（☆46）に負うていたことを忘れてはならない。死は万人に貢献を求める。人類解放のために若き命を鉄の天秤皿におく方が、わずか一切れのパンのために暴利と傲慢の陣中に陥るよりはずっとましだ。彼らは、この貧しく惨めな存在などは無頓着で、骨の髄までも食らい、しゃぶり尽くして路地に投げ捨てる。

兄弟愛の旗の下、郷土をその血潮で染め、死して毅然たる信念を確証したこの最初の殉教者たち、彼らの名が同時代および後代の人々に讃えられん！ 三たび讃えられん！

自由を勝ち得た人類は、彼らが呻吟して得た勝鬨（かちどき）の場に、専制者の銅像や大砲を溶かして台座を設置する。そして台座の上には、金属を溶かして造ったピラミッド型の碑を立て、それに拝金や粗野な暴力を排撃した戦士たちの名を刻み、その功績を後世に伝えることになる。

最後の最後まで持ちこたえた人々の名よ、さらに三たび讃えられん！ 同様の記念碑をこの地上のもっとも美しい場所に公開し、未来の世代に彼らの栄誉を伝えよう。

そして、その場所は人類の聖なる殿堂となるだろう。

後世の人々は地上のあらゆる地域からこの聖なる殿堂に集まって来るだろう。そして、この碑の前で一致団結の絆を新たにするのである。

そこで君たちは、才智を先導者にし、勇気を楯と矛にし、隣人愛を合言葉とせよ。なぜなら、この隣人愛の徴しにおいて、君たちは勝利を収めるのだから。

スパルタ人は500年にわたって財産共同体に生活した。

彼らは、才智と勇気を有していたものの、隣人愛に欠けていた。彼らは働かず、戦争捕虜を互いに分け合い、彼らを働かせていた。働かざる者は食うべからず、ということわざを、彼らは知らなかった。その故に、彼らの体制は崩壊したのだった。

16世紀において、ドイツの政治的状況は重大な局面を孕んでいた。ザクセンの福音派牧師トーマス・ミュンツァーは、財産共同体を説き、富者を諸都市から追放して多くの支持者を得ていった。だが、ミュンツァーには勇気が欠けていた。敵軍が侵攻して来たのに、彼は自陣の兵士3万人に対して、天にかかった虹に注目させ天使の加護を説き、敵と戦うことを禁じたのだった。彼らはほとんど無抵抗のまま敵に打ちのめされてしまった。

同じ頃、仕立職人のヨハン・フォン・ライデンが、ヴェストファーレンのミュンスターで同じように財産共同体を実施している。彼は富者を町から追放し、自ら地球の王（König des Erdballs）であると布告した。

彼は、ミュンスター攻囲の後、裏切りにあって敵軍の手中に帰し、無残な死を遂げる。しかし、それは殉教者の死とはならなかった。なぜなら、彼はその純粋な理論を自己の功名心でもって汚してしまったからである。

とはいえ、これらの例は何といっても、財産共同体の教義が、なるほど不完全に説かれていたにせよ、当時すでに電気による魔法のように庶衆を把えていたことの証明である。

同世紀に、シュヴァーベン、フランケン、オーストリアの各地で、聖職者や貴族たちの横暴ぶりに激昂した農民が決起し、専制者の修道院、宮殿、城砦などに放火している。また同じ頃、ザクセンの一牧師(☆47)が、教皇や聖職者たちの横暴ぶり、その権利の濫用・越権を告発した。しかし、彼は貴族の専制に関しては大目に見るどころか、これを勇気づけ支援さえしているのである。彼は諸侯に、激昂した農民を家畜のように撲殺するよう助言した。しかし、農民が決起してその承認を求めた十ヵ条は、公正と正義との原則に即しており、今日だれもこれを否定することはできない。農民戦争は諸侯によって抑圧された。だが、宗教改革は諸侯の支持によって成功した。そしてドイツの統一は彼らの利益のために消え失せてしまった。もし宗教改革が農民戦争と手に手を取って、純粋に庶衆の問題に関わっていたとしたら、我々は、聖職者と貴族の専制支配をもろともに打破できたはずだ。それ以後に流された血と涙のことで庶衆が嘆き悲しむこともなかったのだ。これから先いつまで、庶衆は嘆き悲しむことになるのだろうか？―ドイツの叛逆者(☆48)の旗幟が最初に掲げられるのはどの地方になるだろうか？ ―あらゆる人々は、急いた気持でもって、来るべき出来事に向かって心臓を高鳴らせている。―

当時、宗教改革は漆黒の世界にきらめく柔和な光線のようだった。闇の中からよろめき出た庶衆は、新しい天国の到来を探索しようと、こわごわ周囲を眺めた。だが、眼に入ったのはただ剣と王冠ばかりであり、その血まみれの微光は庶衆の心を痛めるばかりだった。

農民は小旗を下げ、再び以前にも似た眠りに入っていった。福音の鈍い光明だけが、希望をつなぐ庶衆の心に残されていた。それ以降、ある時は他国で、ある時は国内で専制者の引き起こす不和が、眠れる庶衆のところにその都度入り込み、睡眠中の犠牲者を揺り起こしてはこれを死地に赴かせた。欺かれて哀れではあれ心優しき庶衆よ！やがてラッパが鳴り響き、警鐘が打ち鳴らされて、最後の審判 (das jüngste Gericht) を知らせるその日まで眠り続けるがよい。そのときこそ、王冠と財宝を擁護し君たちの欠点を嘲笑したあのヴィッテンベルクやローマの輩を追放するのだ。そのときこそ君たちは一致団結して、本拠地に隣人愛の標旗(ひょうき)を樹てるのだ。子どもたちはその旗をなびかせ世界の果てまで飛び回るだろう。そして世界は一つの庭に、人類は一つの家族へと姿を変えるのである (die Welt wird sich in einen Garten und die Menschheit in eine Familie verwandeln.)。

訳注

01 Jünger、ギリシア語ではμαθητης(マテーテースあるいはマティティス、マセィテェィス等と読む、弟子、学生)、ラテン語でdiscipulus、ジェームズ王欽定聖書ではdisciples(門人・弟子 pupil, follower、使徒 apostle)、口語訳聖書では「弟子」とある。また、μαθητηςをドイツ語でSchülerとも表記するが、こちらは中世スコラ(教会に付属する学校、講義)からの派生であり、Junge(駆け出しの徒弟)からGeselle(年季奉公を終えた職人)までの年季奉公途上にある徒弟のJünger以上に誤解を生む訳語である。いずれにせよ以上の熟語はみな「弟子」という意味を有するが、本来彼らはイエスと信仰を共有する(communico)共同体(communitas)を形成しているのであって、教師から弟子へという知の授受関係が主なのではない。よってここではイエスの弟子でなく、イエスの信奉者、信徒と訳さねばならない。

02 (Die Ernte, das ist die zur irdischen Vollkommenheit reifende Menschheit 千年王国論の影響が色濃い。―ヴァイトリングは、アメリカ移住後の1851年7月12日に、自身の雑誌『労働者共和国』同年度第13号に、L. st.と署名のある記事を載せ、その中で、最後の審判の日は社会主義支配の日、万人が一つの家族となって共同の故郷を実現する日となろう、という主張を紹介している。また、同じ雑誌の1852年1月31日号にはF. アンネケ署名の論説を載せ、その中で、次のような主張を紹介している。

「コムニスムスは地上における社会生活の、最終的にして最高の形態である。それは完全無欠な自由の実現、ありとあらゆる、理論上および実践上の強制の根絶である。それは(地上における―石塚)天国の実現である」。

たとえヴァイトリング本人の署名ではないにせよ、この引用から察することができるように、ヴァイトリングの原始キリスト教信仰も、一種のミレニウム(至福千年、千年王国)なのである。彼の血と汗でできている全思想の根底には―すでに拙著『三月前期の急進主義』で言及済みにして、本書第3章でより詳しく述べるところだが―、直接にはルソーの影響によるものと思われる反文明史観ないし退歩史観が備わっている。彼は、原始キリスト教団を一つのコムニスムス社会とみなすとともに、それよりも昔の原始時代の人類の間にも、コムニスムス的な生活の存在を認める。そして、人類が、富者による所有の導入を媒介にしてそのような自然状態を喪失すると、それを元のパラダイスに回復しようとする貧者の革命運動が開始したとする。その際彼は、「各自はみな、盗まれた品を奪回する権限をもっている」という命題を正義とし、この命題を擁護するものたちがつくりあげた歴史をコムニオーンとコムニステンの歴史であるとする。さらに彼は、パラダイスとしての自然状態を喪失してのち人類が築きだした共産主義の歴史の発端を、一方では旧約聖書の中に見い出し、他方では古代ギリシア史の中に見い出し、それらがやがて原始キリスト教において一つになったと考える。だがその後キリスト教はローマの国教となったため、ヴァイトリングは別のところにコムニスムスの発展史を繋げる。それは、たとえば先に参照した『労働者共和国』1851年7月12日号によれば、イエス→タボル派→再洗礼派となるのである。ということはすなわち、ヴァイトリングの原始コムニスムスは、実践的な社会運動の局面においては、中世から19世紀に至る間ヨーロッパの下層社会に依然として根強く残っていたミレニウムの系譜から登場してきたことを証するものである。したがって、ここでは大ざっぱにその系譜──特にヨアキム・ドルチーノ・ミュンツァー・ミュンスターの一派──をみることによって、それらの諸思想がヴァイトリングに及ぼした影響を追認せねばならない。（拙著『革命職人ヴァイトリング』社会評論社、2016年、273-274頁、注省略）

03　“Wohl”あるいは“Wohlfahrt”を「福祉」と訳すのは時代に即していない。16世紀のイギリスに始まる救貧法(Poor Law)の発想・目的は、貧民の増加が社会不安を助長するので、それを国家的に抑制することだった。浮浪者や逃亡者、犯罪者は施設に拘束され強制労働を強いられたが、そのような施設の一つが救貧院だった。革命職人ヴァイトリングはそうした国家的支配思想になじむはずはなかった。彼の反国家的発想を汲んで訳すとするならば、「安寧」ないし「無病息災」となろう。本書の訳語はこの原則に従っている。

04　“Güter”：“das Gut”の複数形、これは経済的な価値としての財でなく、大地の恵みを意味する財である。ヴァイトリングの発想によれば、大地にこそ富は存在する。その観点は重農学者と共通している。重農学派によれば、大地を含む自然には、人間の生活に必要な富が手つかずに存在している。また、専制権力者などによる恣意的な作為が介入しなければ、人間の大地への係わり（労働）はものごとの必然的な関係や、自然の本性を示している。その発想には、むろん経済的な価値観が存在するものの、さらにその下地には大地の恵みという観念が潜在している。フランソワ・ケネーは1758年刊の「経済表」ほか1767年にかけて発表した類似の諸論稿（平田清明・井上泰夫訳『経済表』岩波文庫、2013年）でこう言う。「政府の眼は貨幣にとどまってはならない。視野をさらにひろげて、土地生産物の豊富とその売り上げ価値のうえにそそがれていなければならない。そうすることによって収入を増加させねばならない。眼に見えるこの年々の富の部分にこそ、君主の裕福とその支配、そして国民の繁栄が存するのである。この富こそが臣民を土地にしっかりと定着させるのだ。貨幣や工業、商業的取引や三角貿易といったようなものは人為の自立所領を形成するだけである」(99-100頁)。ケネーによれば、富の生産は農業においてのみ可能であり農民だけが生産階級である。「主権者と国民は、土地が富の唯一の源泉であり、富を増殖させるのは農業であることを、けっして忘れないこと」（同、220頁）。「農民貧しければ、王国もまた貧しい」（同、269頁）。もしヴァイトリングがこの主張に接していたとするならば、国王を打倒し王国を財産共同体に取り替えればケネー理論は重宝に使える、と思ったに違いない。反対に、商品の価値はそれに投下された社会的に必要な労働時間によって決まる、とするスミスやリカード、マルクスの労働価値説はヴァイトリングの採用するところではなかった。ヴァイトリングならではの労働価値観については、「交易時間」を参照。

05　“ungerecht”：これを「不正」と訳すのは間違ってはいないが最良ではない。なぜなら、ヴァイトリングの場合、この語は「義」“Gerecht”に反する行為や観念を指すからである。ただし、一般のキリスト教的観念とちがい、彼の場合、教団としてのキリスト教に従うことは不義であり、ガリラヤ湖畔の漁師たちに信仰されるイエスその人に従うことこそが義である。1836年末にパリで結成された秘密結社「義人同盟(Der Bund der Gerechten)」は、そうした義人の同盟であって、信仰ぬきの単なる正義者の組織ではない。その際、ヴァイトリングが同盟内の各方面から綱領起草を依頼されて発表されたのが、本書『人類──あるがままの姿とあるべき姿』である。『革命職人ヴァイトリング』57-59頁参照。

06　支配者が下層民を犬で脅したり蹴散らしたりして事例として、メキシコを征服したスペインのコンキスタドレスが用いた犬がいる。ヴァルター・ベンヤミンが紹介している。──メキシコ先住民のことを人間と思わないどころか、広場や路上に落ちている糞か、それ以下のものとしか考えなかったスペイン人の多くは、先住民を殺すのにためらいはなかった。逃げ回る先住民には、特別に訓練した猛犬をけしかけた。ヴァルター・ベンヤミンは、この種の犬について、こう語っている。「メヒコの猛犬はかつて、きわめていやらしく利用された。……襲撃となると、インディオがもっとも密集したところへ跳びこんで、腕にくらいついて捕虜とし、連行してくる。インディオが無抵抗なら、この犬はそれ以上のことはしない。しかしインディオが抵抗すれば、たちまちかれを引きずり倒して、殺してしまう」(ベンヤミン、小寺昭次郎・野村修訳『子どものための文化史』昌文社、1988年、145頁)。実際、ラス・カサスはこう報告している。「スペイン人たちはインディオたちを殺し、八つ裂きにするためにどう猛で凶暴な犬を仕込み、飼い慣らしていた」(ラス・カサス、染田秀藤訳『インディアスの破壊についての簡潔な報告』岩波文庫、1976年、162頁)。

またラス・カサスの報告によれば、キリスト教徒の命令に従わなかった先住民たちをスペイン人は生きたまま火あぶりにしたが、火刑に立ち会ったあるフランシスコ会士は先住民たちにこう言った。もし会士の「言ったことを信じるなら、栄光と永遠の安らぎのある天国へ召され、そうでなければ、地獄に落ちて果てしない責め苦を味わうことになる」と。そこで先住民は答えた。「キリスト教徒たちには二度と会いたくない」から「いっそ天国より地獄へ行ったほうがましである」と。この対話を引用したラス・カサスは、次のような感想を述べている。「インディアスへ渡ったキリスト教徒たちが神とわれらの信仰のために手に入れた名声と名誉とは、実はこのようなものなのである」(ラス・カサス、同上、42頁。)――石塚正英『歴史知と多様化史観――関係論的』社会評論社、2014年、33-34頁。

07　“Gütergemeinschaft”：財貨共同体など幾つかの異訳がある。その際、先述の「大地から収穫した財(Güter)」について考慮した訳語に越したことはない。ヴァイトリングの概念を、間違ってもマルクスらの科学的共産主義の前段階にある未熟な概念、いずれ科学的になる概念の先駆、としてはならない。そもそも類型を異にしているのだ。ヴァイトリングの概念はソキエタスに根を有し、マルクスの概念はキウィタスに根を有する。ここで「ソキエタス」と「キウィタス」について説明を加える。――先史社会(ソキエタス)と文明社会(キウィタス)はどのように違うのか。その点を以下に列記してみよう。まず、先史の精神世界においては①神が人をつくるのでなく、人が神をつくる。②暦の中に祭事(儀礼)があるのでなく、祭事のあとに暦が出来ていく。③先史人はミメーシス(なりきり)を得意とするが、文明人はミミック(模倣)を得意とする。その反対が文明世界である。また、先史社会と文明社会を比較すると、次のようになる。ソキエタスは①擬制にせよ血縁的な関係に基づいていて、支配・隷従関係＝政治のない社会である。②直系に相続されない。母系集団が全体的に共同で相続する。③子の所有がない。母系集団が全体的に共同で所有する。④土地所有がない。母系集団が全体的に共同で相続する。対してキウィタスは①財産に基づく、政治のある社会。②父系において、家父長から長子へと直系で相続される。③家父長による子の所有がある。④家父長による土地の所有がある。そのような特徴を有する氏族社会の解明をモーガンに見出したマルクスの脳裏では、パラダイム・チェンジが生じたのではなかろうか。モーガン読書を経たマルクスであればこそ、1881年、「近代社会が指向している『新しい制度』は、『太古的な社会型』の、より高い形態での復活となるであろう」と記したのである(マルクス「ザスーリッチへの手紙」下書きから、『マルクス・エンゲルス全集』大月書店、第19巻、388頁。)。『歴史知と多様化史観――関係論的』社会評論社、2014年、201頁、参照。

08　“Gaben”：共同体メンバーによる共同倉庫への納入物。

09　“stiefmütterlich”：直訳すると「継母のように」となる。

10 “8 Tage”：8日週制による表現。古代ローマでは8日ごと（nundinae ヌンディナエ）に市場を開催していた、その名残か。7日間働き，8日目に市場に出て交易とか気晴らしをした。7日週制がローマに入ったのは1世紀。ヴァイトリングが滞在していた19世紀前半のフランスでは、ローマ暦の名残りが存在したのだろう。『人類』は1838年にパリで執筆・刊行されている。

11 マタイ6-19: あなたがたは自分のために、虫が食い、さびがつき、また、盗人らが押し入って盗み出すような地上に、宝をたくわえてはならない。6-21: あなたの宝のある所には、心もあるからである。

12 “Mammon”：一般に「財神」と訳す。19世紀30～40年代、イギリスに始まる産業資本主義の弊害を訴える人道主義者や社会主義者が、その時代思潮を象徴するものとして使用した。若きマルクスは、「ユダヤ人問題によせて」（1844年）の中で、イギリスのトーマス・ハミルトン著『北アメリカ合衆国の人間と習俗』（1834年）からの一文を引用しながら、こう記している。「信心深く政治的に自由なニューイングランドの住民は、自分を締めつける蛇どもから身を振りほどくために何の努力もしないラオコーンのようなものである。マンモン〔財貨の神──翻訳者〕が彼らの偶像であり、彼らはこのマンモンを口であがめるだけでなく、心身のすべての力をあげてあがめるのである。現世は、彼らの目には取引の場以外の何ものでもなく、彼らは、隣人よりも金持ちになることのほかには現世に何らの使命もないと確信している。あくどい商売が彼らの考えのすべてを支配し、商品交換が彼らの唯一の楽しみである」。この引用文にマルクスはこうコメントしている。「たしかに、キリスト教世界に対するユダヤ教の実際的支配が、北アメリカでは、まぎれもない典型的なかたちをとっているので、福音を伝道すること自体、キリスト教の説教職自体が一つの商品となっているほどであり、破産した商人は、裕福になった説教師が商売をやって行くように、福音で商売をするのである」。マルクス、城塚登訳『ユダヤ人問題によせて・ヘーゲル法哲学批判序説』岩波文庫、1974年、60頁。ハミルトンもマルクスも、マンモンを物欲神のごとくに描いているが、マンモンの原義には「人が信頼するもの（that on which man trusts)」「人を安全に導くもの（that which brings man into safety)」があったとみられる。“MAMMON” in:

edited by James Hastings,*Encyclopaedia of Religion and Ethics*, voll.8, New-York, 1915, p.374. ヴァイトリングの説く財産共同体の財産（Gut）は、彼にすれば「人類の真の財貨（das wahre Gut）」である。マンモンもまた善神の側面を兼ね備えている。そのような物神（フェティシュ）を、マルクスは、1842 年に読んでメモを執ったシャルル・ド＝ブロスの著作『フェティシュ諸神の崇拝』で知り、『ライン新聞』に書き込んだ。キューバの先住民が崇拝していた黄金フェティシュの事例である。石塚正英『マルクスの「フェティシズム・ノート」を読む――偉大なる、聖なる人間の発見』社会評論社、2018 年、参照。

13　マタイ 6-24: だれも、ふたりの主人に兼ね仕えることはできない。一方を憎んで他方を愛し、あるいは、一方に親しんで他方をうとんじるからである。あなたがたは、神と富とに兼ね仕えることはできない。

14　das sogenannte Arbeiten des Geldes：金が利子を生む。

15　フェリシテ・ロベール・ド・ラムネー（Félicité-Robert de Lamennais 1782-1854）は、パリで活躍したキリスト教共和主義者、カトリックの革命的聖職者

16　使徒行伝の当該箇所に死刑と合致する文章は存在しない。ただし、その第 4 章から第 5 章にかけて、以下の文章が読まれる。4:34 彼ら（ペテロとヨハネの話を信じた人びと）の中に乏しい者は、ひとりもいなかった。地所や家屋を持っている人たちは、それを売り、売った物の代金をもってきて、4:35 使徒たちの足もとに置いた。そしてそれぞれの必要に応じて、だれにでも分け与えられた。5:1 ところが、アナニヤという人とその妻サッピラとは共に資産を売ったが、5:2 共謀して、その代金をごまかし、一部だけを持ってきて、使徒たちの足もとに置いた。5:3 そこで、ペテロが言った、「アナニヤよ、どうしてあなたは、自分の心をサタンに奪われて、聖霊を欺き、地所の代金をごまかしたのか。5:4 売らずに残しておけば、あなたのものであり、売ってしまっても、あなたの自由になったはずではないか。どうして、こんなことをする気になったのか。あなたは人を欺いたのではなくて、神を欺いたのだ」。5:5 アナニヤはこの言葉を聞いているうちに、倒れて息が絶えた。このことを伝え聞いた人々は、みな非常なおそれを感じた。

17　マタイ 20:25 そこで、イエスは彼らを呼び寄せて言われた、「あなたがたの知っているとおり、異邦人の支配者たちはその民を治め、また偉い人たちは、その民の上に権力をふるっている。20:26 あなたがたの間ではそうであってはならない。かえって、あなたがたの間で偉くなりたいと思う者は、仕える人となり、20:27 あなたがたの間でかしらになりたいと思う者は、僕とならねばならない。

18　比喩はオリゲネス以来の説明原理である。—オリゲネスは、神ははたして物体的なものか、それとも物体とは異なる霊的なものなのか、という問いを発する。そしてこう答える。「神は何らかの物体であるとか、物体の内に存在すると考えてはならず、純一な (simplex) 知的存在であり、自らの存在にいかなる添加をも許さない御者であると考えるべきである。神はすぐれた部分と劣った部分を自らのうちに有しているなどと考えてはならない」（オリゲネス、小高毅訳『諸原理について』創文社、1978 年、56 頁）。けれども、旧約・新約には、ときとして神にふさわしくない記述が神に対して施されている。そこで「我々は、旧約聖書においても、新約聖書においても、神の怒りについて書かれたことを読む時、そこで言われていることを文字通りに解釈せず、それに関する霊的な理解を探求している。それは、神にふさわしい理解を見いだすためである。（中略）我々は、〔聖書の〕そのような話を文字通りに解釈するのではない。むしろ、エゼキエルが、その話を『たとえ』と呼ぶことで示したように、その『たとえ』の内部に潜んでいる意味を探求しているのである」（同上、142、144 頁）。

オリゲネスによると、聖書中でときおり不可能事・不可解事にぶつかることで、文字通りの理解を回避しうる。けれども「ユダヤ人は心のかたくなさの故に、また自ら知恵ある者と見られたがっていることから、救い主について予言されていた事柄は文字通りの意味で理解されねばならぬと思いこみ、我々の救い主を信じなかった。（中略）予言で述べられている狼等は四つ足の動物の狼等のことであると考えていた」（同上、285 頁）。

オリゲネスの比喩的解釈法は彼の独創ではない。この解釈法は、例えば紀元前 1 世紀後半から後 1 世紀前半にかけてアレクサンドリアで活躍したユダヤ教徒フィロンがまず以って採用したものである。

ユダヤ教（思想）をギリシア哲学（プラトン）で説明し、結果として両者を調和させたフィロンは、後者をもって聖書の比喩的解釈を徹底させた。また、紀元後 1 ～ 2 世紀ローマ時代に活躍したギリシア人プルタルコスは、フィロン同様プラトン思想に立脚し、エジプトの動物諸神をギリシア精神のアレゴリーと解釈した。オリゲネスは、あるいはユダヤ教に対するフィロンの、あるいはエジプト宗教に対するプルタルコスの立場と共通するものをキリスト教に対して示したということである。

オリゲネスにとって、聖書の物語を比喩的に解釈するということは、それを霊的に解釈することを意味する。もろもろの隠された霊的な、聖なる事柄は、それを人々に理解させるために結びつけられた外的事物や表象とは、直接的な関係をけっして持っていない。例えば、マタイによる福音書 4-8 に「悪魔はイエスを非常に高い山に連れて行き（云々）」とあるが、これはけっして歴史的事実として取ることはできない（同上、297 頁）。こうしてオリゲネスにおいては、比喩的解釈法によって、文字通りの聖書物語は限りなく神的本質、神的精神から遠ざかっていくのであった。拙著『フェティシズム――通奏低音』社会評論社、2014 年、89-90 頁、参照。

19　マタイ 19:24 また、あなたがたに言うが、富んでいる者が神の国にはいるよりは、らくだが針の穴を通る方が、もっとやさしい」。19:25 弟子たちはこれを聞いて非常に驚いて言った、「では、だれが救われることができるのだろう」。19:26 イエスは彼らを見つめて言われた、「人にはそれはできないが、神にはなんでもできない事はない」。

20　マタイ 18:21 そのとき、ペテロがイエスのもとにきて言った、「主よ、兄弟がわたしに対して罪を犯した場合、幾たびゆるさねばなりませんか。七たびまでですか」。18:22 イエスは彼に言われた、「わたしは七たびまでとは言わない。七たびを七十倍するまでにしなさい。18:23 それだから、天国は王が僕たちと決算をするようなものだ。

21　“Das Gesetz der Natur und christlichen Liebe”：ヴァイトリングの概念においては、大地は神のものという認識を前提としつつ、実際的、実践的な局面では、大地は万人（自然の中の人間）のものであるとい規定し直し、自然法則を最大重要視しているのである。ヴァイトリングにとって自然とは、神でなく人間と共にある存在で、人間はいわば自然人なのである。『革命職人ヴァイトリング』291 頁参照。

22　マタイ 22:36「先生、律法の中で、どのいましめがいちばん大切なのですか」。22:37 イエスは言われた、「『心をつくし、精神をつくし、思いをつくして、主なるあなたの神を愛せよ』。22:38 これがいちばん大切な、第一のいましめである。22:39 第二もこれと同様である、『自分を愛するようにあなたの隣り人を愛せよ』。22:40 これらの二つのいましめに、律法全体と預言者とが、かかっている」。

23　ヤコブの手紙 1:17 あらゆる良い贈り物、あらゆる完全な賜物は、上から、光の父から下って来る。父には、変化とか回転の影とかいうものはない。

24　マタイ 5:15 また、あかりをつけて、それを枡の下におく者はいない。むしろ燭台の上において、家の中のすべてのものを照らさせるのである。5:16 そのように、あなたがたの光を人々の前に輝かし、そして、人々があなたがたのよいおこないを見て、天にいますあなたがたの父をあがめるようにしなさい。

25　マタイ 7:1 人をさばくな。自分がさばかれないためである。7:2 あなたがたがさばくそのさばきで、自分もさばかれ、あなたがたの量るそのはかりで、自分にも量り与えられるであろう。

26　マタイ 10:34 地上に平和をもたらすために、わたしがきたと思うな。平和ではなく、つるぎを投げ込むためにきたのである。10:35 わたしがきたのは、人をその父と、娘をその母と、嫁をそのしゅうとめと仲たがいさせるためである。10:36 そして家の者が、その人の敵となるであろう。

27　マタイ 13:24 また、ほかの譬を彼らに示して言われた、「天国は、良い種を自分の畑にまいておいた人のようなものである。13:25 人々が眠っている間に敵がきて、麦の中に毒麦をまいて立ち去った。13:26 芽がはえ出て実を結ぶと、同時に毒麦もあらわれてきた。13:27 僕たちがきて、家の主人に言った、『ご主人様、畑におまきになったのは、良い種ではありませんでしたか。どうして毒麦がはえてきたのですか』。13:28 主人は言った、『それは敵のしわざだ』。すると僕たちが言った『では行って、それを抜き集めましょうか』。13:29 彼は言った、『いや、毒麦を集めようとして、麦も一緒に抜くかも知れない。13:30 収穫まで、両方とも育つままにしておけ。収穫の時になったら、刈る者に、まず毒麦を集めて束にして焼き、麦の方は集めて倉に入れてくれ、と言いつけよう』」。

28　ロマ書 14:8 わたしたちは、生きるのも主のために生き、死ぬのも主のために死ぬ。だから、生きるにしても死ぬにしても、わたしたちは主のものなのである。

29　"Geschäftsordnung"：通常は「業務規程」と訳されるが文脈上 Arbeitsordnung と理解して「労働組織」と訳している。

30　"Familienältesten"：家父長 "Patriarch" との違いを読み取れるか。

31　原文には 19 人とあるが、それは誤記であろう。

32　"Ackermann"：一般には「農民」を意味する。

33　"Geschäftsführer"：農業団では小隊長 Zug にあたる。

34　"Meister"：職長とは技能者のこと。農業団では農業委員 Ackermann にあたる。

35　農業団と工業団に関するヴァイトリングのこの説明は、プルードンの農工連合の概要に酷似している。プルードンの農工連合（Fédération agricole-industrielle）への言及は、例えば以下の著作に記されている。「連合の原理」、『プルードン III』三一書房、)407-410 頁。

また、研究者の佐田啓一は、論文「プルードンの社会理論」において、こう記している。「小工場主のあいだの相互組織を典型とする生産者の組織は、部分の自立と部分間の連帯を両立させうる組織であること、ここにプルードンの理論と政策の原点がある。この現実の組織のもつ理念を生産者が確認し、その理念を全体社会のレベルで現実化することが、プルードンの政策であり、その現実化の可能性を論証することが、彼の理論であった。全体社会のレベルでは部分の単位は大きくなって、たとえば小工場の相互組織そのものとなる。更に大きい単位をとれば農工連合となる。諸単位はさまざまなレベルにわたっているが、常に同じレベルの単位が互恵の原則に従って契約を結び合い、より上位の権力の介入を排除することによって連合主義または無支配（アナルシ）が実現する」。河野健二編『プルードン研究』岩波書店、1974 年、53 頁。

36　ヴァイトリングのこの説明については、あきらかにフーリエのファランジュが念頭に置かれている。フーリエのファランジュに関する説明として、例えば以下の論文が参考となる。大塚昇三「シャルル・フーリエと周期性」、『経済学研究』57 巻 3 号、北海道大学、2007 年、13 頁。「このファランジュで共同生活をいとなむ人々は、生産活動から日常生活や娯楽にいたるまですべて集団でおこなう。そうしてはじめて人々の情念が解放されるはずである。かれらは気の向くままに多様な労働に参加したり、複数の配偶者と自由に性愛をいとなんだりする。この労働や性愛は、血縁者以外の人々のあいだにも濃密な絆をつちかっていくだろう。それらの絆をチャネルにして富裕者から貧者へ所得が移転され、財産が遺贈されていく。だからファランジュは、あたかも一つの家族のように機能し、人々の情念は調和するだろう」。

37　"Der Unterricht in den Universitäten und hohen Schulen wird nur ausgezeichneten Schülern als Arbeitszeit angerechnet." 学業に賃金をという構想は、やすいゆたかの哲学にある。学業を含め、社会的に有意義な活動に財政から報酬を与え、そうした活動所得をシステムとして整える分配革命の提唱である。『学習・文化スポーツ・ボランティアに報酬を : 脱労働社会化と分配革命』三 L 出版 (アマゾン Kindle 版)、2019 年) 参照。なお、やすいと私とで、以下の共著を刊行している。『フェティシズム論のブティック』論創社、1998 年。

38　原文は "untermittelbar" だが、"unmittelbar" の誤記と解釈。

39　原文は "Amtmänner" だが、文脈上 "Ackermänner" と解釈。

40　この絶対的議決方法は、同盟議会 (Congress) が評議委員会 (Senat) の上位にあることを意味している。

41　ここに記された「家族と同様の権利 (Gastrecht) でもてなしを受ける」という表現は、ヴァイトリングがドイツ国内のみならずパリなど諸外国を遍歴する渡り職人だった経験に起因するのではないだろうか。詳細は巻末のヴァイトリング略年表を参照。それからまた、この外来者のもてなしという発想は、同時代のアメリカで活躍していた比較民族学者のモーガンが紹介する歓待の儀礼 (Law of hospitality) を連想させる。彼によると、アメリカ独立戦争前のまでナイアガラ地域で独立した生活圏を維持していたイロクォイ民族 (6 部族連合) には部外者をもてなす「歓待の儀礼」があった。この連合体は母たちから娘たちへの相続で特徴づけられる母系社会であり、男たちは族外に狩猟に出かけ、女たちは族外から夫を迎えつつ族内で経済・生活を管理した。村落内の一角に共同倉庫を備え、構成員は生活物資が必要なとき、そこから自由に持ち出してよかった。その慣習は族外からの来訪者にも適用されていたのである。モーガンの記述からその説明を引用する。

「アメリカ・インディアンが実践していた歓待のしきたりは、最終的には食糧の平等化につながった」。

「…勝手に食べ始める権利があり、また好きなだけたべることができる。(中略)インディアンの共同体的な社会では、男性、女性、子供を問わず誰でも、災難にあったり生活に困って、食べるものにも事欠いたばあい、誰のテント小屋にでもはいって、食べてよいことになっている。かりに部族連合の長の小屋であってもかまわない」。

「イロクォイ諸部族が実践していた歓待のしきたりがニューメキシコ以北のすべての部族にみとめられる、というのは、妥当な結論だとおもわれる」。

「…ヨーロッパがアメリカ大陸を発見した時代には、人々を手厚くもてなす社会的な慣習が、アメリカ・インディアン所部族のなかにあまねく存在した、という事実である」。

「アメリカ・インディアンが実行した歓待のしきたりは(中略)じつは、彼らの生活様式その者を提示しているのである。この生活様式の解明は、彼らの堅持している土地の共同所有形態や、数家族からなる所帯にたいして行なわれる生産物の分配や、また所帯を構成している生活共同体などのなかに探求されなければならない。大所帯のための、あるいは村のための食糧の共同の貯えもまた、この慣行を説明するのに不可欠の課題である」。モーガン、古代社会研究会訳『アメリカ先住民のすまい』岩波文庫、1990年、89頁、99頁、108頁、117頁、119頁。なお、引用文中に「インディアン」という訳語がある。私ならば「先住民」と訳す。

42　“Commerzbuch”：義務として存在する一定の労働時間を超える時間(交易時間“Die Commerzstunde”)を記録した帳簿で、その余剰分は当事者の自由な活動に使用可能である。交易時間は、全構成員に必要な、彼らに平等に割当てられた労働時間を越える労働時間のことである。各人がそれぞれいろいろな趣味をもち、いろいろな関心を示せるようにと、この制度が考案されている。ヴァイトリングによれば、財産共同体での各人の労働時間は 1 日 6 時間である。やがては 3 時間に短縮される、ともみている。それを越えて働いた時間は「もはや労働しなくなった老人たちのもとで管理される」交易時間である。それは各人が望むままに増すことができる。しかし極端に多くをもつことは許されないし、またそれは世襲されもしない。この制度は共同体全体の利益のために、個人的な自由がいっさい等閑に付されてしまうことを防止せんとするものである。『革命職人ヴァイトリング』190 頁、参照。）

43　“Arbeitszeit”：これは“Commerzstunde”と違うので、義務労働の一部となる。

44　短期独裁に移行するということ。この発想は、1845 年 2 月から翌年 1 月にかけてロンドン労働者教育協会で行われた連続討論での激論において、もっとも明瞭に看取できる。ヴァイトリングは言う。「人類は必然的にたえず成熟しているのであり、でなければけっして成熟しないだろう。後者は敵の慣用句だ。それに従おうというのであれば、手を懐に入れて蒸焼鳩が口にとび込んでくるのを待たねばならんではないか。そんなことはお断わりだ！」石塚正英訳「〈革命か啓蒙か〉…ロンドン労働者教育協会における連続討論から 1845.2.18 ～ 46.1.14…」、同『叛徒と革命――ブランキ・ヴァイトリンク・ノート』イザラ書房、1975 年、268 頁。本書、83 頁。

45　Gaius Cilnius Maecenas：前 70-8、ガイウス・キルニウス・マエケナス

46　14 世紀スイスで民衆解放を指導したとされる伝説上の人物ヴィルヘルム・テルのこと。

47　マルティン・ルターのこと。

48　“Rächer”：ヴァイトリングの言う「叛逆者」には、盗賊、いわゆる匪賊も入っている。詳しくは以下の拙著を参照。「社会的匪賊への親近感」、『革命職人ヴァイトリング』243 頁以降。

訳者解説

手工業職人にして社会革命家のヴィルヘルム・ヴァイトリング(1808-71)は、10代の中頃から仕立職の修業に入り、ほどなく遍歴の旅に出た。生地のマグデブルクからライプツィヒへ、ドレスデンへ、プラハからウィーンへ、そしてパリへと渡り歩いた。その道のりは、フランス革命・ナポレオン戦争という変革期からの反転である復古的ウィーン体制下を見聞する旅でもあった。1835年秋、パリで亡命ドイツ人からなる共和主義的政治結社の追放者同盟に参加し、1837年秋、同じくパリで、今度は亡命手工業職人を主体とする義人同盟に加入した。翌38年の末には同盟幹部となり、併せて同盟綱領を起草した。それが『人類――あるがままの姿とあるべき姿(*Die Menschheit, wie sie ist und wie sie sein sollte*)』である。その間の事情をヴァイトリング本人は、著作『調和と自由の保証』第3版(*Garantien der Harmonie und Freiheit,* die Vorrede zur 3. Auflage, 1849)において、以下のように回想している。

> パリにおいてドイツ人の共和主義的党派が、1837年以来、口頭や文書での宣伝によって財産共同体の原理を仲間内から説得され、それがいくらか効果をあげたことによって、党の委員会に対し、財産共同体の可能性を立証するような何かを印刷するようにと、各方面から要求が出された。(中略)共同体原理の賛成者も反対者も以上の欲求を出したため、委員会の検討により、また中でもヴァイセンバッハとホフマンの熱心な支持により、小パンフレットが出された。『人類――あるがままの姿とあるべき姿』がそれである。それは1838年の末にパリで刊行され、2000部配布された」(☆01)。

本訳書の底本は1838年の初版でなく、ヴァイトリングがその後スイスに移動し、同地でのプロパガンダに活用するべく、1845年にベルンで刊行した第2版である。Wilhelm Weitling, *Die Menschheit, wie sie ist und wie sie sein sollte*, Bern, Verlag von Jenni, Sohn, 1845.

私は、いまから半世紀以前の1972年、東京都千代田区神田の洋書センターでロヴォルト社の新書判（Taschenbuch）で本書を購入し、論文執筆に際して部分的に訳出した（☆02）。その作業を通じて、わが第一作『叛徒と革命――ブランキ・ヴァイトリンク・ノート』（イザラ書房、1975年）は生まれた。その後1977年11月、明治大学政治経済学部の大井正研究室にて、"*Menschheit*"の1895年版（*Das Evangelium eines armen Sünders*. との合本、Verlag für Gesellschaftswissenschaft, München, 1895.）を借り受け、これをも訳文の検討に使用した。さらに、数年前から、インターネット図書館 "INTERNET ARCHIVE"（https://archive.org/）に収蔵されている上記のベルン版を閲覧し翻訳に役立ててきた。今回の翻訳では、そのベルン版を底本としつつ、それら諸版のすべてを使用した翻訳作業の集大成としてある。

なお、本書については以下の翻訳がある。宮野悦義訳「人類、その現状と未来像」（良知力編『資料ドイツ初期社会主義――義人同盟とヘーゲル左派』平凡社、1975年、所収）。ただし、編集者良知は、義人同盟とヘーゲル左派を、思想的にマルクスに先行する、あるいは、ほどなくマルクスに乗り越えられる対象とみている。その傾向は、良知編集本の訳語決定に多少とも影響を及ぼしている。私は、ヴァイトリングをマルクスの先行者、いわんやその挫折者とは見ていない。両者は互いに系譜を異にする、類型を異にする思想家であると判断している。たとえば良知は「義人（der Gerechte）」を宗教に依存する職人好みのネガティブな術語とみる。訳語としては「善なる人」「正義の人」という雰囲気のものを好む。私はそれを、義において行動する職人革命家にふさわしいポジティブな術語とみる。また、マルクスは近代を乗り超えの対象とするが、ヴァイトリングは近代を破壊の対象とみている。よって、訳語選定において、私なりの方針を貫いている。

さて、『人類』は亡命手工業職人の秘密結社である義人同盟の綱領・教程というよりも、1838年当時のヴァイトリングが自らの社会革命構想を綴った革命宣言である。1845年に第2版を刊行したのち、1848年革命をはさんで、1850年代にアメリカに移住してからも、本書は情宣活動や学習会資料として印刷された。私が確認したかぎりでは、彼が1850年にニューヨークで創刊した『労働者共和国(Republik der Arbeiter)』紙の第39号(1854年9月23日)に、その再録が掲載されている。

ヴァイトリングは、1848年ドイツ革命のさなかや、1850年代アメリカにおける労働者運動を推進する理論的指針として、『人類』に記された要点、とくに貨幣の廃止と交易時間の構想を継続させ、フランスのプルードンに倣って交換銀行の設立を説く。ドイツ革命のさなか(1848年10月)に起草され配布された文書『第一次選挙人』には、革命政府への要求としてこう書かれていた。「政府が我々に大蔵省を任せ、新たな銀行設立の全権を与えれば」、「銀行は改革への新たな燈火である」と(☆03)。この発想は単なる経済政策や国家行政上の変革でなく、人民の武装・人民の議会という変革手段とドッキングした、社会革命実現の一手段なのである。〔人民の武装・人民の議会・人民の銀行〕、このトリアーデは1848年10月の段階でヴァイトリングが到達した、彼の実践理論の頂点であり、1842年刊の『調和と自由の保証(*Garantien der Harmonie und Freiheit*)』に示された地平を、大きく凌いでいる。

したがって、ヴァイトリングのいう「政府」は地主や資本家の政府でなく労働者の政府、労働者共和国でなければならない。その革命思想は、ニューヨークを舞台に1850年から54年まで編集発行された『労働者共和国』に継承されていった。20世紀のマルクス主義者やその研究者たちは、渡米後のヴァイトリングをさして、マルクスとの綱領次元での論争に敗北してアメリカに逃げ去った敗残者のように断じていた。なんたる事実誤認であろうか。彼は1838年『人類』第4章や第10章ではやくも鉄道建設に言及してもいるのである。生地のドイツでは1835年に開業したばかりであった。

とはいえ、渡米後のヴァイトリング像を必要以上に描き替えることは禁物である。彼の思想で大きく変化した面は、①ドイツ時代の財産共同体主義(コミューン)からアメリカ時代の協同体主義(アソシエーション)への変化、②秘密結社の〔計画としての陰謀〕から交換銀行と労働者協同企業の創出への転換だろう。

それ以外に、たとえばキリスト教に対する評価は生涯を貫いて連続している。その態度は、たとえばトーマス・ミュンツァーの革命神学を評価する研究者ベンジングの以下の文章に一致する。「神の正義は、ミュンツァーから見れば、支配者側の見解とは反対に、民衆によってのみ実現され得るものであった」(☆04)。それからまた、哲学者エルンスト・ブロッホは大著『希望の原理』の中で、19世紀ドイツの職人革命家ヴィルヘルム・ヴァイトリングのことを次のように描写している。「ヴァイトリングは生れながらの友愛の人である。しかも彼は、聖書をかつて一人の洗礼者ヨハネが読んだとおりに読むことの出来る、最初にして最後の人間なのである」(☆05)。1970年代から私が探究してきたヴァイトリングとその思想は、ブロッホのこの言葉に凝縮されている。

大西洋を跨いでさすらうヴァガント(漂泊者)ヴァイトリングは、さながら19世紀ドイツの下層社会に出現した第2のイエスなのであった。彼の精神は、肉体もろともに崇拝されるヴァガント・イエスにかぎりなく寄り添い、また野生自然人を讃えて文明を避けようとしたヴァガント・セネカをこよなく愛するものであった。ヴァイトリング研究は、わが研究歴の端緒であり経過であり、深層である。

なお、原文の第1章、第2章、第11章に見出しはないが、訳者の判断においてこれらを補足した。

注

01　W. Weitling, *Garantien der Harmonie und Freiheit*, die Vorrede zur 3. Auflage, 1849, in: *Der Bund der Kommunisten. Dokumente und Materialien*,

Bd. 1. 1836-1849, hg. v. H. Förder, M. Hundt, J. Kandel, S. Lewiowa, Berlin, 1970.(以下 Dokumente と略記), S. 87.

02　W. Weitling, *Das Evangelium des armen Sünders. / Die Menschheit,wie sie ist und wie sie sein sollte*. Rowohlt, Reinbek Hamburg, 1971. 本書解説者のヴォルフ・シェーファーによると、"*Das Evangelium*" の底本は 1846 年版で、"*Die Menschheit*" の底本は 1845 年版である。

03　*Der Urwähler. Organ des Befreiungsbundes*. hg. v.W. Weitling, Berlin 1848. 10-11(Nachdruck, Glashütten im Taunus 1972) S. 18. なお、『第一次選挙人』はベルリンとその近郊で 150 名ほどの予約購読者を集めたくらいでしかなかったと、ヴァイトリング自身がのちに証言している。Vgl. *Die Republik der Arbeiter*, hg. v. W. Weitling, New York 1850-1855(Nachdruck, Topos Liechtenstein 1979)3Jg. S. 66.

04　マンフレート・ベンジング、田中真造訳『トーマス・ミュンツァー』未来社、1980 年、30 頁。

05　Ernst Bloch, *Das Prinzip Hoffnung*, Frankfurt a.M, 1959, S.674. エルンスト・ブロッホ、山下肇ほか訳『希望の原理』第 2 巻、白水社、1982 年、169 頁。なお、ブロッホの本書に関して、私は以下の論文でコメントしている。「ブロッホ思想の 21 世紀以降的可能性──『希望の原理』コメント」、『NPO 法人頸城野郷土資料室学術研究部研究紀要』第 8 巻第 4 号、2023 年。

第２部

石塚正英訳

〈革命か啓蒙か？〉

ロンドン労働者教育協会における連続討論から
1845.2.18 ～ 46.1.14

ここに翻訳する資料は“Diskussion im Kommnistischen Arbeiterbildungsverein in London”（hg. v. H. Förder, M. Hundt, J. Kandel, S. Lewiowa, *Der Bund der Kommunisten. Dokumente und Materialien.* Bd1（1836-49), Dietz-Verlag, Berlin, 1970, S. 214-238.）からの抄訳である。原文は、第一次世界大戦前にアナキズム研究者のマックス・ネットラウ（Max Nettlau）が複写した、ロンドン共産主義労働者教育協会議事録抄からの、そのまた抄録である。Dokumente 編集者の推測によれば、議事録そのものはすでに紛失している。またこの協会は 1918 年に解散している。以上の諸点から、本資料はさほどの価値をもちえないかも知れないが、とりあえずヴァイトリングが本書『人類』第 2 版を刊行した 1845 年前後の時期における資料として参考にできると思われる。連続討論において革命を説く中心人物は仕立職人ヴィルヘルム・ヴァイトリングで、啓蒙を説く中心人物は植字職人カール・シャッパーである。いずれも 1830 年代末（パリ時代）からの義人同盟の指導者である。

なお、訳文中で「コムニスムス」は、通常は「共産主義」と表記されるが、発言者（手工業職人階層）によっては財産共同体（Gütergemeinschaft）の意味に理解している人が多々存在する。要するに、その時代に即するならば、マルクス主義ないし現代的な通念をもっては了解し得ない内容が含まれるので、この際カタカナで表記している。本文中の傍点及びゴシック体は原文がイタリック体、〔 〕内は原文のまま、（ ）内は訳者の記入事項である。また、訳注は，ネットラウ注、Dokumente 注を参考にしながら、訳者自身が付けたものである。

【初出】拙著『叛徒と革命──ブランキ・ヴアイトリンク・ノート』イザラ書房、1975 年、巻末「付録」。

議題 1　人間は、自分自身に関して何を善とよび、何を悪とよぶだろうか？〔1845 年 2 月 18 日の討論決議〕

カール・シャッパー　〔…〕自然は善であり，現今の支配的な弊害の原因は、それにはない。自然が生み出すすべては、従って善であるに相違ない。人間が自然の法則に従って生きるかぎり、またこの地上の調和に従うかぎりは、〔…〕人間もまた善なのだ。けれども、人間が自然を支配しはじめ、悪意からでないにしろ無知から、個人的所有 (das persönliche Eigentum) を考案した時以来、人間の幸福は消滅し、恐るべき不調和がそれに取って代わったのだ。

ハインリヒ・バウアー　自然法則からのいかなる離反も不正なのだ。〔…〕

決議された回答　人間の身心の発達を促進するものはすべて善であり、それを損ねるものはすべて悪である。

議題２　今日の社会にあって、何が劣悪に扱われているか、また何が改善されうるだろうか？〔1845 年 2 月 25 日 -4 月 1 日〕

デングラー　〔…〕自然は地上に調和を望んだが故に、あらゆる動物にそれ特有の資質を授けた。そして人間をもまた、よるべないものにはしなかった。けれども人間は、その自然の本分から逸脱したのだ。若干の者たちが他の人々を軽蔑したのである。そして後者は、それを耐え忍べるほど臆病だったのである。でも、今ようやく人々は目を開きはじめたのだ。〔…〕

ヴァイトリング、シャッパー、プフェンダー、Ｈ．バウアー等は、際限のない討論を展開していく。

議題３従来、社会的弊害に対して、コムニスムスのほかには、どのような除去手段が提起され、適用されてきたであろうか？

宗教の側からの諸提起、労働の組織、資本家・労働者間の争議解決の調停裁判所（conseils de prud' hommes)、ヴィルトの提起〔国営作業所（Nationalateliers)〕等々に関する若干の討論

議題４　いつどこで、そしていかなる形態で、過去のコムニスムスが救済として提起され、適用されただろうか？〔45 年 4 月 24 日 -5 月 12 日〕

討論はやがて、コムニスムスの「部分的な実際的導入」か全面的成就

か、コロニーか国家か、アメリカでかヨーロッパでか、という点に集中されていく（☆01)。

シャッパー　外国には移住すべきでない。この地ヨーロッパにおける宣伝──これで目的を遂行するのである。我々が共同社会（アメリカのコロニー等）に暮すとして、それで人類に何か利益がもたらされるわけではない。初期のキリスト教徒は何によって非常に増加したのであるか？ それは、彼らが全世界に教義を伝道したからなのだ。

これに対して**レーマン**　家を建てるのにどうして沼地を埋め立てたりするんだろうか？ 一体、何故堅い大地に建てないんだろう？〔…〕どうして、国の法律なんぞで制限されず、人類がむしろよりはやくこの崇高な目的を達しうる地方に築かないんだろうか？

万人が自由に、何ら金銭的資格を問われずに入植できるコロニーへの賛意。

H．バウアーはプロパガンダに期待をよせる。各人は毎年10名の人々を啓蒙すべきだ。そして一地方から他の地方へと旅を続け、この理念を普及すべきである。我々はすでに到る所に成果を見いだしている。──財産共同体は、厳密に解釈すれば、いまだけっして存在したことがなく、こんな風にして存在していたかにみえたものは消滅せねばならなかったのだ。というのは、人権上に築かれてはいなかったからである。

シャッパー　アメリカの森林内にコロニーを設立することは、たいへん煩わしいことなのだ。コロニーは精神上の糧の不足に苦しまねばならない。我々はこの地にとどまる必要がある。というのも、重大な戦いはアメリカではなく、この地で開始されんとしているからなのだ。

バウアー　諸原理を小規模に実現することは、是が非でもということではない。それは実際極めて困難でもある。我々はただプロパガンダの進行過程で、できるだけ迅速に、目的に達するだけである。

ヘルマン・クリーゲ〔5月12日に初出席し、それからシャッパーとヴァイトリングにメンバーとして推薦される〕(…)

議題５　それにもかかわらずコムニスムスが実現されていないのは、

どこに原因があるだろうか？〔45年5月19日-7月〕

H．バウアー　今まで存続してきた共同社会は、特定の諸個人によって組織され領導されてきたが故に、けっしてコムニスムス的ではなかった。〔…〕

ヴァイトリンクは市民バウアーに応答する　家族は共同体に暮らしていないだろうか。コムニスムスは一定数に制限しはしないし、さまざまな側面を有している。(…)

シャッパー　こんにちまで、たとえ夫婦の間においてすら、共同体（communauté）はけっして存在しなかった。その理由は、知識の不足と啓蒙の欠乏にある。フランス革命がようやく一定程度の啓蒙開化を創出し、1830年がその進歩の速度をはやめたのだ。労働者階級はいままで啓蒙から締め出されてきたのだ。1842年以来、哲学者たちはコムニスムスを弁護しはじめている。――コムニストは、たとえ我々が党派をなしたところで、個人に依存しはしない。コムニスムスは、ただ言論闘争によってのみ、確固とした足場を築くだろう。

ヴァイトリング　しばしばキリスト教に対する反論がなされるが、キリスト教は古くからの多大な善に依っているのだ。私は、キリスト教への反論はすべきでないと判断する。〔…〕我々はあらゆるものを利用すべきなのだ。多くの人々にとって、悟性によってでは不可能なことでも感情(Gefühl)によれば可能となるのである。〔これは、「ただ科学によってのみ」というシャッパーへの反論である。〕

シャッパー　感情の原理に基づけば、信仰上のさまざまな憎悪を撲滅でき、それを人類愛に転ずることができるので、純粋に人間的であるに違いない。

H．バウアー　感情は、何に対してでも基礎としてはならない。ただ精神によって基礎付けられたものだけが強固なのだ。〔…〕

クリーゲ　理性のもとで感情が窒息しているのなら、それを捨てることだ。人間は、ただ己れの最も強い欲求を叶えたときにのみ、正当な行動をとることができる。

カール・プフェンダー　感情はその性質からみて、一瞬のうちに行動するのです。ただ理性のみがその所業を吟味するのであります。したがって、理性に基づいた国家だけが存続するでしょう。

シャッパー　国家を永続して先導するには、感情と精神の双方が不可欠である。〔…〕我々は、兄弟のように啓蒙しあおうと心がけ、精神と感情を通じて結合を惹起することによってのみ、人類をよりよい軌道に導きうるだろう。〔…〕

クリーゲ　私が感性的な (sinnlich) 欲望を多大に持っているからといって、それを勝手気ままにさせねばならないなどと主張するつもりはない。もし手足が燃えさかる炎の中にあれば、私はそれを引っこめるし、もし空腹を感ずれば、満腹になるまで食べるということなのだ。

ヴァイトリングは、シャッパーが提起する理性と感情の定義付けを要求する。

クリーゲ　無産者を啓蒙することによってのみ、人々の運命が変化するだろう。飢えは宗教の声に抗弁しはじめている。ただこの点に関して人類に正しい概念を伝達することが不足している。そうすれば人類は前進し、収穫は遠いものではなくなるだろう。

シャッパー　飢饉によってでは、人類は目的を達しないだろう。このことは世界史が十分証明している。我々は革命には警戒する。なぜなら、それによって人類は再び奴隷状態に引きもどされてしまうからだ。ただプロパガンダの道によってのみ、諸国民を屈辱の生活から引きあげることができよう。

6月23日 (☆02)　**シャッパー**　いままでコムニスムスは発展してくることができなかった。というのは、悟性が十分に鍛えられてこなかったからである。昔の人々と同様に、現代の人々も迷信の鎖に縛られて、コムニスムスを成就しないだろう。我々の全活動は、次の世代のために献げられるのだ。我々が啓蒙的プロパガンダの路線上で、ただ理論的に普及しうるにすぎないことを、次の世代は実際的に成就することだろう。

ヴァイトリング　前に述べた連中〔シャッパーとC.バウアー〕(☆03) の意見が全体の支持を得るのであれば、我々の労苦はすべて無駄になる。それはつまり、今日から明日へ、明日から明後日へという、際限ない引き延ばしを意味している。というのは、今日妥当なことは明日でも妥当となりうるからである。そんな風にしていつまでも陳腐な旧習の中にうろついていては何も得られやしない。私は、すべてがコムニスムスのために成熟していると思っている。そのことは犯罪者にさえあてはまる。彼らはまったく現行社会秩序の中で発生するのであって、共同社会では見あたらないのだ。人類は必然的にたえず成熟しているのであり、でなければけっして成熟しないだろう。後者は敵の慣用句だ。それに従おうというのであれば、手を懐に入れて蒸焼鳩が口にとび込んでくるのをまたねばならんではないか。そんなことはお断りだ！ 我々はコムニスムスを成就する能力をもっている。そのために着実に行動しているのであって、たんなるプロパガンダなんぞ何の役にも立ちはしない。

シャッパー　もし人類がコムニスムスを成就しうるほど成熟しているのなら、もはやそれを実行に移しているはずだ。ヴァイトリングは自由な発展を中断させようと言い張っている。そして人類には未だ判断しえない処で、彼らに行動を強いようと言い張っている。もし娼婦や与太者、それに人殺しが共同社会に入り込めば、すぐさま、彼らを監禁、拘束し死刑に処す一群が連中と対立するに決まっている。信仰の自由が一切存在しなかった昔には、特定の宗教に好意を寄せない者は無慈悲な罰を加えられ、十字架にかけられ放逐された。こんにち、信仰の自由は存在する。そして、かの古い時代の、信仰の自由の殉教者が我々のために血を流したように、我々は子孫のために戦わねばならないのだ。だが我々は、誰を強制することも許されない。まずは圧倒的な諸衆の間に真理が広まらなければならない。そうすれば、あとに残ることがらはおのずとうまくいくのだ。

悟性はまず以て思惟せねばならず、意志はまず以て自由であらねばならない。感動的な弁舌を揮って共同社会を鼓舞してみても、何の役にも立ちはしない。極度に心を奪われた諸衆は、それだけますます不可避的に、厭わしい後退に陥ってしまうだろう。民族的な、また宗教的な激情はやがて古い錯乱を復活させるだろう。そうであってはならないのだ、市民諸君！ 何よりも第一に万人が人間として抱きあわねばならぬのだ。コムニスムスはそののち実現されるだろう。先祖が信仰の自由に対してそうであったように、我々は個人の自由の開拓者なのだ。熱望して止まないものを実際上で成就する見通しをたてられないとあらば、善はおのずと報いられるのだからと自ら慰めようじゃないか。(…)我々の世代はいまだコムニスムスを成就するほどには成熟していないことを、いま一度言っておこう。人類に新たな理念を暴力的に押しつけるよりも、樹木をむりやり真すぐに発育させるほうがまだ楽というものだ。物理的暴力など、我々は拒絶する。それは粗野であるし、人類はそんなものを必要としない。人類は自ら目的を貫徹するため、何ら物理的手段を要せずに闘うのである。我々は人類という大木の葉であると考える。後世の人々は、我々の人知れぬ行動によって準備されたものを収穫することだろう。

クリーゲ　シャッパーとC.バウアーの発言に激しく反対し、主要意見のすべてにおいてヴァイトリングと提携する。(…)

フリッツ（恐らくフリードリヒ・メンテルのこと）〔45年4月28日以降のメンバー〕宗教改革者は、己れのためではなく、子孫のために戦ったのだ。そのことは農民戦争で証明済みである。革命というのはすべて後世のために行われてきたのであって、けっして自らの利益を楯にはしない。人類は、コムニスムスの実現には、いまだあまりに劣悪すぎよう。発展は徐々に徐々にすすむだろう。〔…〕

プフェンダー　シャッパーとバウアーは、全く自然にコムニスムスを説明してきました。クリーゲの展開は、あけぼのとともに大地から芽を出す草花のようなものです。けれどもその代りに霜にやられた芽のほか、何も残りません。クリーゲは人々に彼の見解を無理矢理承認させようとしています。彼は人々に言う、それを認めよ、さもなくばおまえらの頭を殴るぞ、と。その報いに、こんどは人々が我々に打ち返し、そして最強の者が勝利者として残るのです。彼は熱狂します。熱狂とは何でありましようか？　あらゆる熱狂は幻覚であって、長続きしないシャンペン酔いなのです。歴史はすべて、急激な発展はどれもみな急速に雲散霧消することしか証明しておりません。人類の全種族がそれを確信しないならば、何ら持続性を持ちえやしないのです。

シャッパー　クリーゲの意見は私を映し出す鏡のようだ。10 年前か 8 年前、それどころか 6 年前 (☆04) でもなお、私は丁度そのように語っていたのだから。けれども非常に多くの苦々しい経験によって冷静になってしまった今となって、私は反動派の「人類はいまだ成熟していない」という慣用句にまったく賛成している。というのも、もし人類が成熟しているのであれば、もはやそれを主張するに及ばぬからなのだ。（…）10 億の全人類のうちコムニストはほんの 400 ～ 500 万程度にすぎない。彼らは全人類に比べて無に等しいのである。私は、コムニスムス革命はたわ事であるという立場を固執する。その革命はコムニスムの原理に完全に矛盾する。真理は一切の物理的暴力を要しない。真理はそれのみで十分強力なのだ。私は、今ただ真理の加護が心に注がれるだけで十分に満足感を覚えるのだ。個人的には (☆05) もちろん私も革命を支持する。戦場で死ぬことこそ昔からの最高の願いだった。けれども、私は個人的な願望を抑えねばならない。私は人類の一員なのだから、その利益において真理と平等と正義のために戦わねばならないのだ。ところで、クリーゲはほんとうに犯罪者、泥棒、娼婦、そして人殺しと一緒に暮したいと思っているのだろうか？　もし連中の私的欲望がもはや満足されえないとみれば、彼らはさっさとクリーゲを見捨てるだろうに。ちょうどサヴォア遠征の時、あらゆる革命的な農民が、もはやひと切れのパンも手に入らなくなった時に、とどのつまり逃げ去ってしまったように。否、革命は否である！　倦まず怖れず人類からヴェールを取り払おうではないか。それが、我々のなすべき事のすべてなのだ。

ヴァイトリング　ここで真実、自由、平等について多くのことが語られてきた。我々のすべての努力はそれらに捧げられるべきである。(…) シャッパーはずいぶん長々と、そしてのんびりした気分で弁じたが、しかし彼の演説全体で重視すべきことは、革命に対し、まずは反対し、しかるのち賛成し、そして再び反対して語ったことからみて、はっきりしている。未熟という極り文句は、たえず、あらゆる進歩の敵にとって最も身近かな武器なのだ。それから、こうしたことではあらゆることがらを多数によって見積ろうというのはまったく誤りである。我々ですら、この点でけっして一致していないというのに、全人類の一致などどうしてなるというのか？ たとえ万人の指図によって、全人類の師全てが唯一無比の人物を任命したとしても、言論の混乱という旧来の闘いが改めて再開されるだけだろうし、それはただ啓蒙の点で現在みたいに貢献するだけである。そのほかにまだ何かあるだろうか？ もし啓蒙の中に、我々が獲得しうる全至福が存在するのなら、是が非でもと思われるような啓蒙手段はどこで得られるというのか？ 検閲やその他の妨害は論外として、数百万の人々が我々に耳を貸す暇を持っていても、ほかの数百万の人々はそうした暇などまったく持ちあわせていないのだ。啓蒙が全面的にならなければ、世代がかわるにつれて徐々に無感覚になるし、若者についてはもう一度改めてやり直さねばならぬのであり、啓蒙は常にほんの一部分に限られてしまうのだ。クリーゲと私は、我々の望むものについて何かほかに特別な考えを立てはしなかった。我々はただ、コムニスムスの不在証明に役立つとか、その他同類のすべてに役立つとかのできないように、我々の世代が未熟であるというドグマに対して抗議したにとどまるのである。今日生じないことが明日起るやも知れぬ。革命は嵐のように到来する。その効力を誰も予測しえない。たとえシャッパーのような確信を持ってみたところで、それを述べることは、とどのつまり不得策なのだ。

それは若者たちの勇気をくじくだけのことだ。そうした、意気沮喪せる諸原則によって、人々の胸にある情熱を冷やしてはならない。希望がもはや我々を活気づけないとしたら、我々の情熱はどこからもたらされるというのか？

6月30日、**クリーゲ**　シャッパーとプフェンダーからの数々の攻撃に応え、また成熟していないというドグマ上に立てられた不自然な和解体制への戦いを続行する。歴史は——と彼は言う——何をも証明しえていない。たとえそれに同意したくなくとも、革命に対しては何も証明しえていないのだ。そう、フランス革命は自らの目的を十分に達成した。即ち、第三身分、ブルジョアジー、そして彼らの神である貨幣のもとに全国民を屈服させたのである。——サヴォア遠征を引き合いに出して彼は言い返す——人々はもはや何も食いぶちを得られなくなった時、十分な正当性をもって逃亡したのだ。なぜなら、それによって、この運動と彼らの利害とが何の関係もなくなったことを、胃袋に素直に実証してみせたからだ。革命の目的が同時に運動に参加した多数の諸衆の私的利害 (das Privatinteresse) とならない場合、それは必然的に無に帰してしまわざるをえない。ところで、コムニスムスはまさしくプロレタリアの最上の私的利害である。それは、あらゆる人々に衣食住の手段を与える以外、何も望まないからである。したがって、それはプロレタリアの心中に、必然的に革命への感動を与えうるのであり、また与えるにちがいないのだ。我々は今日までコムニスムス革命というものを経験していない。それ故、以前の諸々の革命によってでは熟した果実が全然得られなかったことは、至極当然のことなのだ。

シャッパー　まず私は、個人としては革命的であっても、社会の一員としてはそうでないと述べる時それはけっして矛盾していないことを市民ヴァイトリングに返答しておかねばならない。クリーゲは、歴史は我々に何も証明していないと主張するが、それに対し、歴史は我々にすべてを証明しているし、また反動的党派の方が知識において我々より一歩先んじているという、まさにそのために、奴らは我々に対し極めて強大なのだと反論しておく。コムニスムスの諸革命を、我々はすでに数千年前から経験済みであり、到るところで有産者と無産者とが衝突しあってきたのだ。ソロンやリュクルゴスの時代のアテネとスパルタがそうであり、ジャックリーの時代のフランスやワット・タイラーの時代のイギリスがそうである。ドイツ農民戦争は、ベルギーにおける運動と同様、社会革命（die soziale Revolutionen）以外にありえないのであるが、しかしそれは、フランス革命がナポレオン、シャルル10世、そしてルイ・フィリップの中に死を見い出したように、すべて破滅してしまったのだ。一時的な勝利ののち、より一層深刻な破滅がおとずれる。それはどのような革命にもつきものの運命なのだ。だから、我々の原理をそのような危険にさらす原則の樹立には警戒する。それから、市民クリーゲは、コムニスムスのすべてを実利主義にまで退歩させようとしている。（…）それから、市民クリーゲは、コムニスムス革命が私的利害を原理としうるというのだろうか？ 我々はまさにその私的利害をこそ絶滅したいのだ！ 献身的行為を説こう！ たとえば、私が自分の私的利害に従おうと望めば、私は最も恭しい請願書を差し出し、豪奢に生活できるだろう。だがそれは危険な着想というものだ。そうではなくて、コムニスムスを宣伝することが同朋のことを最もよく憂慮することだと承知しているように、私は全体の利害にしか満足を覚えはしない。自分の私的利害にしか従わないと私に言明するような者は、もはや信頼できぬ。コムニスムスは献身的行為を求めるし、私はコムニスムスにその意をよろこんで表する。

ヨーゼフ・モル　市民ヴァイトリングとクリーゲへの私の思い違いでなければ、彼らは革命を惹き起こそうと主張しているのではなく、すでにその気運が動いておれば、それを支持するだけだと主張しているのである。しかし我々は、はたしてそれがたしかに革命の目的である庶衆の利害なのかどうかを、鋭く監視せねばならない。こんにちまでのあらゆる革命は、少数者の利益のために行われたにすぎない。フランス革命とて、ブルジョアジーの利益ですらなかったのだ。彼らの夥しい破産をみればわかる。それだから、革命の結末が庶衆の利益に合致するに違いないと十分正確に予見しえぬとあらば、到るところであらゆる革命を非難することは、我々の極めて神聖な義務だと思うのだ。

ヴァイトリング　私はいま、革命を煽動することも、それを非難することもできない。ただただ、その奏効を語るのみなのだ。種々の諸国民が誇るどんな自由も、まったくもって革命によってのみ獲得することができるのである。啓蒙は、革命を通じて以外には、政治の面で我々に全然何も獲得させはしなかったし、それはいつも革命の後になってようやく効を奏したのだ。世界中の人々は例外なくすべて、彼らの自由を革命に負うている。平和的路線上の啓蒙は誤りなのだ。努力して得られねばならぬものは、ただ戦いにおいてのみ貫徹される。(…) 物質的なものに対して戦うのではあっても、物質的な基盤なしでは、どんな理性もあるものか。飲み食いなしに啓蒙は不可能だ。ひもじい者に啓蒙の説教なんてたわ言なのだ。とにかく第一に、欠乏に悩む人々の欲求を満足させねばならない。それ故我々は、プロレタリアの、所有 (Eigentum) への敬意を取り除き、貨幣に対して革命的に反対させねばならない。また彼が、窮乞がもとで物乞いしたり不自由したりするより盗みをするようなら、彼に対し、何ら犯罪者などでなく、それどころか勇者であると銘記させる必要がある。

7月6日、**H．バウアー**　(…) たんなる平和的啓蒙によるコムニスムスの導入は、他面、越えがたい障害として有産者の利害と敵対する。有産者は、可能な間は抵抗するだろう。もちろん、奴らと奴らを支える諸政府は、専らコムニスムス導入の進展に貢献している。奴らは、その卑劣な行為の操作によって、最良の宣伝家となっているのだ。それは、こんにちの時局に適切な模範を我々に提供するといった具合に、である。そうした恥ずべき圧制は強力な叛逆を生み出さずにおかないのだ。それは、旧社会が暴力的に爆破される終局まで存続する。要するに、たんなる平和的啓蒙の路線では、ほとんど希望がもてないのだ。有産者は、強大な物理的事件によって制圧されないかぎり、今後けっして譲歩しないだろう。ヴァイトリングは、戦いなしには何も実現されない点を、また啓蒙はたえず新たな革命を準備してきたのであって、それを避けることは断じてできない点を、すでに我々に説明している。実際、我々はこんにち巨大な準備期に立っているのだ。国法や政府の諸方策、そして産業の発展は、社会問題を暴力的に前面に押し出している。それらは、もはや奇異な法律や反コムニスムス国家に妨げられず、全人類がすすんで新たな生活原理に専念できるために、最終的に全国民がコムニスムスを理解しきり、力強い生活を築くまでは、圧迫に圧迫を重ねていくのだ。(…)

シャッパー　(…) プロパガンダは、整然と促進されさえすれば物凄い力をもつようになるのだ。たとえば、ドイツには2000人のコムニストがいて、彼らの各々が年に3人だけでも啓蒙していけば、6年間に300万人 (☆06) が獲得されるし、このようにしていけばほぼドイツ国民全体を獲得できるという風にみなすのである。〔…〕そのようにして、次に来る世代は必ずやコムニスムスを成就するまでに成熟できるのであり、少なくとも、より良い社会制度を成就するまでには成熟しうるのだ。なぜなら、我々は、一挙にAからZまで飛躍するなどということを、けっして信じないからだ。口頭による啓蒙ののちに新聞と、そして終局的には物理的暴力 (die physische Gewalt) がその義務を果せば、そこで、現在考えられるような成熟の時期に入ることが可能となるのである (☆07)。我々はこの5年間に、すでに5〔万〕人から7万人のコムニストを獲得している。さあ、さらに次の5年の成果に期待しようではないか。(…)

ヴァイトリング　(…) とりとめのない平和的プロパガンダは勇気と情熱とを麻痺させるし、それは概して極度に単調すぎる。たとえ反動側からの迫害を招くにすぎないとしても、時折は革命闘争がそれに加わらなければならない。そうしてこそ、まさしく最も効果的なプロパガンダで何かを為しうるというものである。殉教者の荊の冠は、詩人や弁士のどのような月桂冠を寄せ集めたよりも人心を得るのだ。諸政府はそのことを十分に知りぬいているから、殉教者精神をペストのように恐れている。どのような力が存するかといえば、たとえばカトリックに迫害されていたかぎりでのプロテスタントに存した力がそうだ！　だが今やその情熱は冷えてしまっている。もはや誰もルター派のもとへ殺到しやしないし、誰も昔のようにそれを重要視しない。キリスト教は概ねそうなのだ。私はいま一度繰返す。際限のない説教は単調であるばかりか。おそらくもはや長続きしないだろう。諸政府は、我々のプロパガンダの標語をすべて奴らの利益に利用するだろう。ちょうど1813年にプロイセン王がフランス革命の標語を利用したようにだ。我々は、自分たちの経験をあまり自慢したり、若者の不合理に理屈をさしはさむことだけは警戒しよう。不合理な若者は、時には思慮深いと自称する老人に比べてはるかに賢明に行動するし、その時、感情は、あらゆる経験や書物の寄せ集めである悟性などに比べて、より鮮明に、より適確に燃えさかるのだ。実に極めて頻繁に、若者の大胆な行動は、極端に思慮深い老人が尊敬する幾千の極り文句をも笑い物にしてきたのだ。

議題6　従ってコムニスムスの導入は、いったい、いかなる方法によったならば最も実現可能だろうか？　〔45年7月15日、22日〕

シャッパーの演説から　全般的にみて、コムニスムスは、ドイツでは人道主義的、フランスでは政治革命的、イギリスとそれに殊にアメリカではまったく非革命的（antirevolutionär）であり、現実的建設的である。アメリカでは極めて多様な傾向をもつコロニーが50から60村存在している。

彼はヴィルトの累進税制度や「国営作業所」という理念にも言及する。

(…)

ヴァイトリング　コムニスムス導入に最も効力ある手段を問題とするのであれば、まず以て我々は、従来適用されてきたあらゆる手段を厳密に批判することからはじめるべきだ。オウエン主義者がハーモニーホールを（アメリカのインディアナ州に）設立した時には、彼らは、物質的繁栄をてことして、周囲のすべてを加入へと巻き込み、納得のいく実践の方途によって、徐々に全イギリスのコムニスムス支持を獲得しようとしたのである。彼らの期待は無に帰したが、それは何故だろうか？ 昔ながらの社会から、突然ある数の人々が小世界に隔離されたならば、そのうち、彼らは興味をそそるものしか目には入らなくなり、昔ながらの社会に存する弊害などもはや見えなくなるだろう。彼らは、無益な、こじつけの対立を通じて、調和をおのずと台無しにすることだろう。なんと彼らは、全体と自己の物質的な利益を損ねることなく、容易に場所や社会を換えられるというのだ。彼らは敵に道を譲ることもできるから、そうして調和が保証されるというわけなのだ。けれども、そうした弱小コロニーにあっては、必ずしもこんにちの社会以上にうまくいきはしないのだ。それは、あたかも妻が夫に結びつけられ、夫も妻に結びつけられているように、利害関係によって、土地と狭い人間世界に結びつけられている。自由は制限されている。欲望と気紛れを回避することはできない。ハーモニーホールがとりたてて要求するものは、すでにその構想を達成し損ねてしまった。この団体は、己れ自身の活動を考える以前に、むしろ900ポンドの肉なりとも調達せねばならなかった。それから、この団体は競争を維持するために、旧社会のあらゆる価格を維持せねばならなかった。そのようにして、主たる利益は無論すでに崩れ去ってしまい、さらに悪いことには、住居や社会環境、労働環境の転変が不可能という、かの第一の不利益が作用したのである。

アメリカへ渡った移住者たちは、さらにその上、慣れ親しめばそれだけ彼らを堪えがたく悩ますような、精神的な糧にいまだまったく不自由している。彼らは、現代社会全体から離れているから、やがて必然的に退屈に苦しめられ、昔の状態への一種のホームシックとたたかい、互いに頽廃した生活に陥るのだ。ヨーロッパでは完成済みのものすべてをアメリカでもう一度新たに作り出そうとして、ブルジョアジーの立派な創造物を見棄てようなどと考えるのは、まったくもって愚かなことだ。そこで人々は、この地ヨーロッパで何かより良い事をなし、またせめて彼らがせねばならぬ事をする代わりに、これからずっと己れの自由を断念したり、森を切り倒したりせねばならない等々なのである（☆08)。

さて、私はいまや本質的な問題に触れているから、返答せねばならない。私にしてみれば、コムニスムスを導くものであれば、どのような手段でも正しいのである。我々は無益な、絶えざる争いで分裂してはならない。それどころか、我々と手を携えて活動する者たちすべてを、徹底して支持せねばならない。だれかが自分でお気に入りの観念を抱いているとして、我々がそれに賛成でないなら、その場合、我々は彼に反論するよりも沈黙する方を、どれほどか好むのだ。我々は決然たる方向にむかう偉大な党派（eine große Partei）なのだ。個々の色あいに反対して自分たちの時間を失うことはしないでおこう！ プロパガンダを無神論でしようと宗教でしようと、または移民でしようと革命でしようと、主たる路線を終始維持するのであれば、それは我々にとって同じことであるに違いない。私はなるほど独自の見解を持ってはいる。だがそのことは、コムニスムスに勤勉な人々が私の見解に対し寛容な立場をとるならば、私がそうした、あらゆる異なった人々を支持する妨げにはならないのだ。

シャッパー、弱小コロニーにおける夥しい欠乏について、またフランス人の傾向について（以下のように語る）。　フランス人は、すべてを政治革命で遂行しようと主張する。神父カベもまた次のように考えている。政治革命が先行せねばならぬし、それは一人の独裁者を生まねばならない。彼は、その強固な意志と明敏な悟性と気高い教養とで、コムニスムスを完璧なまでに実施するのである。そののち 50 年の過渡期が過ぎれば、全国民が単一のコムニスムス国家に移行するのである。

ヴァイトリングは目的を達成さえするならどのような手段でも正当だとしているが、私もまた同感である。しかしながら、彼のお好みの理論〔窃盗の普遍化 (die Verallgemeinerung des Diebstahls)〕(☆09) は、それがもし、プルードンが理論的に十分立証済みのように、実際こんにちの社会情勢の極めて厳格な帰結であるとしても、その実際上の意義において、誤謬に基いているように思われる。窃盗を普遍化させれば、なるほど然るべき好都合の混乱を生み出すやも知れぬ。だが私は、この結末が、コムニスムスの代りに恥ずべき軍事専制に陥るのではないかと、ひたすら恐れているのだ。(…) とにかく、私はこの手段を除けば、すべての手段に賛成する。というのも、実際上の問題として、この手段は総体的にみて不合理 (Unsinn) に思えるからなのだ。

クリーゲ　窃盗は現代社会の忠実な模写であることを示し、とりわけ戦時法規と重ね合わせる〔ことによって〕、その実際的な権利を証明する。(…)

議題 7　どのような人々がコムニスムス導入に最大の関心を持っているであろうか、またそれらの人々のうちどのような部分が、コムニスムス導入を促進する最大の手段を持っているだろうか？〔45 年 7 月 29 日 -8 月 19 日〕

ヴァイトリング　ドイツで刊行されている『コムニスムス雑誌』(☆10) を通じて多くの人々は、この雑誌で説かれている自由を愛する心から、たぶん進歩を感じとっているだろう。コムニスムスは功名心や征服欲などを抱く者までも許容する。そのようなわけで、征服者や侯爵はコムニスムスへと向かうのである。たとえば、ある侯爵が病に倒れ、それにより病人や不幸な人々の境遇を理解するようになれば、彼は貧民や病人への思いやりからコムニストになるだろう。というのも、健康について何も不安がらずに済む富者は、コムニスムスを全然愛さないからなのだ。(…)

レーマンは侯爵（☆11）について語る。彼らは、彼らを冷遇するような強大な王家に対する嫉妬から、コムニスムスに関心を持つようになるだろう。

H．バウアー　いやちがう！　労働者が〔…彼らが〕啓蒙された時、そうするようになるだろうし、その時彼らの欲求は電光の如くすみやかに成就されるだろう。

フリッツ　ヨーゼフ皇帝（☆12）は、人民に対する善良な考えを持っていると表明した。(…)富者の中には高貴な人々がいる。もし我々が有益な模範を示して彼らを引き寄せることができれば、彼らは彼らなりの仕方で我々を援助するだろう。

プフェンダー　はバウアーに明言する。コムニスムスに最大の関心を持っているのは中間階級（die Mittelklasse）であります（☆13）。貧民や無産者を、我々は啓蒙によって引きつけねばなりません。学者たちはすでに我々の先を進んでおります。彼らは教壇から降りて庶衆を啓蒙してまいりました。そのことで以て彼らは何をせねばならないかを心得ているのです。

ヴァイトリング　我々は味方に引き寄せるべき人々を差別するなど、一切許されはしない。ヨーゼフ皇帝について、彼は全財産を貧民や不幸な人々に遺贈した。だが、ヨーゼフ皇帝が老フリッツ（☆14）の果断をそなえていたのだったら、庶衆のためにはるかに多くのことを為しえていたであろうに。けれども彼は、己れの行ったことを厳格に償わねばならなかったのだ。我々は、なかんずく労働者に信頼を寄せねばならないし、また金銭を使って活動せねばならないのだ。目的を達成するためには、あらゆる手段を手中にせねばならない。我々は革命的な手段でコムニスムスを惹起するのであるが、それにはすべてを統治する独裁者（eine Diktator）が必要である。独裁者はそれだからとて、ほかのだれと比べてもより多くを所有してはならない。彼が普遍的な幸福のためにのみ活動するのであれば、我々は真によろこんでその地位を彼に与えてよいのである。

45年8月5日、**バウアー**〔侯爵コムニスムスに反論して述べる〕　我々は、いまだわずかでも所有している階級に限定せねばなるまい。最底辺の国民階級はあらゆることに無感覚となっている。いまだ最底辺の段階に至っていない階級にしか、期待を寄せることはできないだろう。(…)

フリッツは、労働者へのプロパガンダに限定することに反論する（以下のように)。　我々は富者をも獲得しようと努めねばならない。

レ―マン　学者を模範としようではないか。そして工業都市に目を向けよう。

バウアー　…教育はより良い未来を招くための主要な手段なのだ。10年前には、それはいまだとてもこんにちほどになってはいなかった。学者や哲学者は手に手を取って活動しているし、富者もまた、我々と一致するべく努力するだろう。だから我々は、何ら激しい戦いを経ずとも、コムニスムスを導入しうる希望を持てるのだ。

ヴァィトリング　私は、今までの討議で、すでにあらゆる階層について語ってきた。富者や学者はコムニスムスに忠誠を誓いはするだろう。しかしながら、富者がコムニスムスを巧みに弁護してみたところで、それは必ずしも彼に十分望ましいというわけではない。コムニスムスに最も関心を持っているのは無産者なのだ。〔…〕しかし、人類の10分の9は、いまだコムニスムスの何たるかをまったく知らないままである。殊に農民たちは、それについていまだまったく無知蒙昧な様子なのだ。『未熟者ハンス』(☆15)という書物は、コムニスムス的な書物でありずいぶん昔に書かれたものだが、一人として知る者がいない。

それに続いて、ロンドンにおける協会のプロパガンダについて。協会専用の施設賃貸の発議。さらに、フリッツに鼓舞されて、

1846年、イーストエンド組合（East-end-Gesellschaft）の結成を通じて、ロンドンに第2の協会が設立されたことについて。

8月12日には、さらにプロパガンダの可能性に関する討論が行われ、8月19日には満場一致の決議がなされる。

議題7に対する**ヴァイトリンク**の答弁　こんにちの社会にあって、けっして充足を感じていない者、そしてまた、他人を害してまで己れの充足を求めようとはしない者、彼らが最大の関心を持っており、最もすぐれた洞察力を持っている者たちが、最大の手段を持っているのである。

議題8　手工業者並びに彼らと同等の境遇にある人々がコムニスムス導入に最も強力に尽力しうるのは、どのような方法によってか？〔45年8月19日～9月9日〕

ヴァイトリングその他の人々は、口頭プロパガンダのテクニックを個々に論じる。そしてこの議題が（以下のように）回答される。

友愛的団結とコムニスムス諸原理の普及を通じて

議題9　プロパガンダの統一を可能ならしめるには何をせねばならぬであろうか？　どのような規則によって行われねばならないだろうか？〔9月9日、16日〕

ヴァイトリングはけっして粗野でなく寛容的な手段による提案を行う。戦術的な基礎におけるこの寛容は、もろ手を挙げてという訳でないせよバウアーなど他のメンバーから（支持された）。(…)

9月16日、**バウアー**　書籍（普及）は日常的に提供される方式であり、我々は、こうした方式が財産共同体において実施され、またそれが可能であることを諭すには及ばない。(…)

議題10　どのような構想にも依存しない、完全無欠なコムニスムスの核心とはどのようなものだろうか？〔45年9月30日～10月14日〕

ヴァイトリング　私が自らのために行うもの、それはまた他者にとっても善であるか、またはそうでありるものでなければならず、誰ももはや障害にぶつかることがないということ、これがコムニスムスなのだ。ある一人が声を大にして望むものはまた万人の望むものであらねばならない。

無神論は一面的な原理である。それは諸々の信仰告白者の手には負えない。信仰は押しつけられるべきではない。自由意志に任されるのが最良なのだ。宗教や道徳についてよろこんで傾聴するような人々は、いつの世にも存在するだろう。だが試金石は不変であらねばならない。それはほんとうに万人にとって善なのであろうか?

〔ヴァイトリングが理解する意味での〕無神論と婦人共有(Weibergemeinschaft)に関する討論ののち、ヴァイトリングは自己の見解を繰り返している。(…)

シャッパーは以上のことがらに同意し、そののちオウエンの構想、カベ(☆16)の構想〔それは羊小舎と同列におかれた〕、そしてヴァイトリングの構想を批判する、それは「あまりに軍隊式」であると(以下のように発言)。

我々が人間的本性に立ち帰った時、人類はひたすら労働において幸福を見い出すだろう。労働と享受はこもごもになり、個々人の幸福は完全無欠となろう。強制は一切不必要に違いない。なぜなら、人間は愚鈍ではないからだ。人間が教育の正しい階段を昇っていけば、労働を楽しみとするようになるだろう。宗教に関しては、人類がそれに依存しているあいだは、彼らは万事耐えうるだろうし、彼らの権利を気にかけることも殆んどないだろう。とはいえ、私は、信仰すべきだなどと主張するつもりはない。神は存在しないのだ、あるいは神は道徳法に一致するにちがいない。我々は、任務の遂行にあたっても神を用いるには及ばない。政治的なことがら全般においては神々しいものを混ぜあわせてはならないのだ。コムニスムスの核心は自由な発展が可能なことでなければならないよう、我々は一人ひとりの指導に努めよう。

ヴァイトリングは今与えられた解釈について述べる。

とはいえ、ある者が知力の点で他の者に優っているのなら、その結果彼は、知力についてより多くの充足を得て差支えないのだ。だれしも自分より知識のない者をたえず援助せねばならないし、より多く持っている者からたえず吸収せねばならない。

プフェンダー　人は様々な流儀で自分の意見を述べることができます。自由についても。各自が自由に発展することができるようになるや、おのずから平等にもなるのです。自由と平等は財産共同体でこそ可能になるのです。市民ヴァイトリングは、自然はコムニスムスの障害になると考えています。しかし、自然に従っていると人々は平等になり、すべてが共有にあってまさに蓄えとなるのです。〔…〕

10月14日、**ヴァイトリング**　コムニスムスの核心は、すべてが共有である状態のことであって、けっして自由な発展に存するのではない。(…)

バウアー　市民ヴァイトリングは、自由は共有を包含しないと考えているが、人間が自由を所有すれば、それをもまた叶えることができるに違いない。人類は自由を共有せねばならない。さもないと自らの能力を発達させることができない。

シャッパー　私が主張した原則に、市民ヴァイトリングは、さらに「共有」が付け加わらねばならないと考えている。発展の基礎は万人に共有であらねばならないが、しかし私の信ずるところでは、享受もまた共有というわけにはいかないのだ。なぜなら、そうしたらまるで兵舎にいる兵士とかわりないのであり、私は、それによって我々が重大な争いに陥るのを恐れるからなのだ。かつまた、私は、自由な発展において我々はみな幸福でありうるだろうと信ずる。

プフェンダー　自由な発展は、共同体がなくてはまったく不可能です。我々は、あらゆる点で自己を陶冶することができれば、それでもって共有ということになります。我々に続く人類において、幾多の変遷が起こるでしょう。なぜなら、共有の調和を通して(durch das gemeinschaftliche Harmonieren)、たくさんの蓄えとともに、各人が好むものを手に入れることができるだろうからです。
(…)

議題11　コムニスムスの核心に関する様々な、新旧の構想の検討〔45年10月21日～11月11日〕

ヴァイトリングは**オウエン**の制度について、それはすべてのうちで最良だと語る。すべてが社会的な連携を通じて行われる。人類が数々の事柄を為すことができる陶冶に最大の価値を見いだす。**カベ**の制度については何も矛盾はない。それから、**フーリエ**についても。

シャッパー　(…) オウエンは労働を負担と考え、重労働は年若い人々にふさわしく、高齢者は統治するに最適であると考える。だが人間は25歳から35歳までが最も丈夫なのであり、従って最も苦しい労働もできるのだ。フーリエの構想は数多くの点で醜悪であり馬鹿げている。(…) 我々は人間的本性に立ち帰ろう。そうすれば、すべてが整然となり、2世代ののちにはすべてが最高の調和の中に存するようになるのをみるだろう。〔10月28日〕

シャッパーは1ケ月間カベの政体に参加したがるが、それ以上は続かなかった（以下の発言）。

それには極度の無為が存在するし、底知れぬ無為にあって、人類は再び奴隷に引きもどされてしまうだろう。たゆまぬ戦いがなければならないのだ。とはいえこの戦いは精神的なものへと推し進められねばならない。今やコムニストは、コムニスムスの状態においては何かより良いものに対する欲求など全然みられないだろうという非難を、はっきりと受けているのだ。だが、努力して良いものを目指そうとしない人々には災いがあろう。――オウエンの家父長的な構想、長老の支配には反対だ。〔…〕

ヴァイトリング　〔…〕共同労働と共同享受とはありうることだ。また最も能力に恵まれている者たちは、弱者の役に立つことを行わねばならない。種々の構想を検討してみて、カベのものが最良である。〔…〕

シャッパー　〔…〕オウエンもカベも、ともに人間的本性に立ち帰ってはいない。それらは先駆的な構想であって、時とともに別の、より良いものに変えらるだろう。

討論は依然としてカベについて続行される。彼を全面的に支持することなく、あれこれの庇護、弁明が続く。

議題 11（ナンバーは原文のまま）　**全般的に、諸個人の自由を愛する心は何を切望しているのだろうか、また全般的に、こんにちの社会制度は、それに対し、何を叶えてくれるだろうか？**〔45 年 11 月 11 日、18 日〕

議題 12　自由と独立への情念は、こんにちの社会にどのような利益を授けているだろうか？〔11 月 18 日〕

議題 13　周知の諸構想において、この利益はどの程度まで保証されているだろうか？〔11 月 25 日〕

シャッパー　〔…〕ヴァイトリングの構想には、自由の保証が全然存在しない。私は、有益な構想は、わが国の新進ドイツ哲学者たちによって樹立されるものと信じている。我々はこれ（ヴァイトリングの質問に関する目下の討論）を済ませたら、新進ドイツ哲学を十分修得できるだろうし、そうして我々の思想を会得するだろう。

議題 14　コムニスムス国家における諸個人の自由は、どのような規律によって表現され得るだろうか？ また国家の諸要求との調和は、どのような規律によってもたらし得るだろうか？〔11月25日〕

シャッパーはそれについて語るが、自由についての本質的なことは何も述べない。

議題 15　人間の諸力の最も正確な尺度はどのようなものだろうか？ 最良の交換制度とはどのようなものだろうか？〔45 年 12 月 2 日〕

シャッパー　交換制度（das Tauschsystem）は財産共同体内ではありえないことだ。それはヴァイトリングの構想に示されている通りである。我々は、この制度を非とするのであるから、もはやそれについて語ることは一切いらないのだ。〔…〕

交易時間もまた弊害をひきおこすだろう。それによって、たえず一方の者が他方の者に比べて自己の欲求をより多く満しうるということになりかねないからなのだ。交易時間など要せずに、人類は必要以上にますます多くを生産するようになるだろう。〔…〕

議題 16　ヴァイトリングが構想の基礎に据えているところの、保護を受ける者と受けられない者との管理の分断は、どのような利益を与えるのか？ 交易時間（die Kommerzstunde）とはいかなる意味なのか？ またそれはどれほどの規模なら可能ないし不可能となるのだろうか？〔12 月 9 日〕

議題 17　過渡期においては何に一層の注意を払わねばならないだろうか？ 原理の核心にか、または個人的自由にか？〔45 年 12 月 23 日〕

議題 18　君主制度、立憲 (君主) 制度、それに共和制度では、人民の生活に対しどのような利益が及ぶだろうか？〔46 年 1 月 7 日〕

ヴァイトリング〔彼の最後の演説〕　君主制度は中央集権の利益を持っている。それは、ただ一人の発言だけで操作されるからだ。その場合、君主制度は共和制度に比べてはるかに強力な行動をなしうる。〔後者〕にあっては選挙を通じて操作される。その場合、君主制度のような中央集権を生み出すことは絶対不可能なのであり、ある者はこれを、ある者はあれを主張するというようにして、無論、ただ混乱を生むだけだからだ。戦争においては、その制度は概してうまくいかない。選挙によって多くが明るみに出されてしまうからなのだ。にもかかわらず、それが有する自由によって、もちろん共和国は多大の利益を得るとともに、概ね、ナポレオンのような一人の人物に委ねられることになるのである。

〔…〕もちろんフランス共和国は多くの富を生み出したし、それを通じて自由も生み出した。しかし統一には失敗し、これによってすべてを失ったのである。ナポレオンは統一によってこの制度を救ったのだ。ナポレオンは新たな統治体制を組織し、中央集権に一致させはしたが、まったく彼の野心のみが彼を破滅に追い込んでしまったのだ。ちょうどそれと同じく、単一の原理が確立された時、共和国はコムニスムスを導入することができるのである。

この後に続く議題は判明していない。というのは、1846年1月14日に、次の事項が提起され承認されたからである。

1.さらに続く諸議題についてはもはや討論しない。それらについてはすでにしばしば論じ尽されてきたからである。２.その代りに、すべての諸君が提起している『未来の宗教』と科学的な諸問題について討論する（☆17）。

訳注

01　ロンドンにおける連続討論の後、ヴァイトリングは1846年3月にブリュッセルに移り、同地でマルクスと論争し、さらにその後同年末にはニューヨークへ渡る。1848年革命で一時ドイツに戻るものの、革命敗北後、再度アメリカに渡り、1871年に死去するまで、ニューヨークを拠点に活動を継続する。詳しくは、拙著『革命職人ヴァイトリング──コミューンからアソシエーションへ』社会評論社、2016年、第II部「後期ヴァイトリング」を参照。

02　ロンドン共産主義労働者教育協会議事録抄の筆記者であるネットラウの注記によると、6月16日に選挙があって、クリーゲが議長に、H.バウアーが書記に選出された。H.バウアーが筆記した6月23日から7月15日までの記録は非常に詳しく、また原稿が綿密に整理されている。

03　*Der Bund der Kommunisten. Dokumente und Materialien.* Bd1.（以下、*Dokumente.* と略記）の注記によると、C. バウアーは、ネットラウの写本では H. バウアーと明白に区別されている。C. バウアーは恐らく仕立職人バウアーと同一人物であろう。

04　1839 年の暴動の季節、すなわちブランキ指導の秘密結社「四季協会」が同年 5 月 12 日に、結社禁止法下のパリ市中で武装蜂起した出来事を暗示している。シャッパーら義人同盟幹部もこれに参加し、逮捕された。旅行中だったヴァイトリングは逮捕をまぬかれた。詳しくは、拙著『革命職人ヴァイトリング』第 1 章第 1 節「義人同盟の結成とヴァイトリング」（59-60 頁）を参照。

05　*Dokumente.* の注記によると、ネットラウの写本では「政治的には（in politischer Beziehung）」となっているが、文脈上、これは筆記の誤りとみられる。

06　*Dokumente.* の注記によると、シャッパーの計算通りにいけば、300 万人というのは 800 万人以上の誤りであろう。

07　〈革命か啓蒙か〉の論争中で、シャッパーが「物理的暴力」を少しでも考慮したのは、この発言だけである。

08　ヴァイトリングは、この時点ではコロニー建設を批判していたものの、彼自身、1850 年代に至ってアメリカへ渡ってから、コロニー・コムニアの建設に乗り出す。詳しくは、拙著『革命職人ヴァイトリング』第 4 章第 4 節「労働者協同企業の提唱」（357 頁以降）を参照。

09　ヴァイトリングは社会革命の遂行にあたって、社会的匪賊との連携を構想した。その際、ヴァイトリングは、私的な盗奪と次元の異なる社会的なそれを構想していた。シャッパーはその違いを認識していなかった。『革命職人ヴァイトリング』第 3 章第 1 節「社会的匪賊への親近感」、243 頁以降、参照。

10　*Dokumente.* の注記によると、ヴァイトリングがここで『コムニスムス雑誌』と述べているのは 1845 年 5 月末ないし 6 月初旬に創刊され翌年まで刊行された『社会の鏡』（*Gesellschaftsspiegel*）か、または『トリーア新聞』（Trierische Zeitung）のことと思われる。

11　*Dokumente.* の注記によると、恐らくブラウンシュヴァイク公で、彼は当時ロンドンに亡命しており、反政府活動を支援していた。そうであれば、*Dokumente.* 注の「ブラウンシュヴァイク公」とは、カール2世フリードリヒ（位 1815-30）と推測される。

12　ヨーゼフ皇帝とは、オーストリア皇帝ヨーゼフ2世（位 1765-90）のこと。

13　ここで「中間階級（Mittelklasse）」と称しているのは貴族や地主に対する市民を指しているのではなく、労働者階層の中の中位を指す。19 世紀前半のロンドンに多数存在した貧困層の工場労働者を指すと思われる。

14　老フリッツとは、プロイセン王フリードリヒ2世（位 1712-86）のことで、大王と称えられた。

15　『未熟者ハンス』（*Hans Kiek-in-die-Welts Reisen in alle vier Weltteile und den Mond*）は、1794 年に出版された。著者はリープマン（Andreas Georg Friedrich Rebmann）。

16　エティエンヌ・カベ（Étienne Cabet, 1788-1856）、1840 年に『イカリア紀行（*Voyage en Icarie*）』を著した。1849 年には、テキサスのレッド・リヴァー河畔にイカリア・コロニーを創設した。

17　フリードリヒ・フォイエルバッハ『未来の宗教』（*Die Religion der Zukunft*）。なお、1ヶ年の連続討論中、シャッパーがしだいに「ドイツ人哲学者たち」への接近を望むようになっていったことは、義人同盟へのマルクス・エンゲルスの介入をみるに際して注目に値する。『革命職人ヴァイトリング』第2章第1節「キリスト教に対する評価」、176-177 頁、参照。

「ロンドン連続討論」解説

義人同盟内外の職人革命家たちの間には、ドイツ革命の構想――革命か啓蒙か――をめぐっておよそ2派が存在した。一つはヴァイトリングが主唱する労働者革命論である。私なりの表現では〔革命即社会革命〕の一挙的革命路線である(☆01)。それに対してもう一つは、背景にマルクスとエンゲルスの新進理論をおきながらシャッパーが擁護する啓蒙教育と段階的変革の路線である。この2派の間には、革命か啓蒙か、といった戦略的な相違の前に、そもそも彼らのおかれている時代をどうみるか、という世界観・社会観の相違が根底に存在していた。

ヴァイトリングは、市民革命前のドイツに生まれ、祖国がそのように資本主義の確立にむけて発展しようとしている時期に、市民革命後の弊害が生じつつあったフランスでドイツ解放を指向する。その際、彼のおかれた社会的境遇(極貧の出、無学歴、渡り職人)というものが、ドイツ革命の路線確定において大きく影響を及ぼす。すなわち、彼には代々保持し防衛すべき財産がなく、祖国意識もなく、学問といったなら職業知識のほかはすべて現状を覆し改善するために役立つものばかりだった。また彼は、単にドイツの現状を悪とみるだけでなく、フランスのより進んだ社会状態をも転覆すべきものだと考え、革命の対象としてはどちらにも差異をもうけなかった。見習うべきはロベスピエールでもなければヘーゲルでもなかった。すべての権力を否定するイエスとトーマス・ミュンツァーが、もっとも身近な彼の先達だった。

1830年代においてヴァイトリングは、ブランキと同様、1789年と1830年の2度の革命によって達成された忌わしい結果つまり市民革命、これの破壊を目標としていた。ブランキやヴァイトリングにとって、1789年は財の共有へと向かう永続的革命の起点として意義があった。ヴァイトリングは『人類』の中で、義人同盟員に次のように訴えた。

自由と平等を宣言し、王侯、貴族、僧侶を滅ぼし、常備軍を廃止し、富者に課税する。そうすれば君たちは多大な成果を収めることになる。しかし、それだけではまだ人類の幸福を基礎づけたとはいえない。もし我々の仕事を完成するつもりなら、ここで立ち止まってはならない。我々の義務は、人類が救いを求めて奮闘する偉大な瞬間を利用することだ。もし闘いの代償が流血であり生命であり自由であるのなら、同じような犠牲を払って不完全なものを求めるよりも、むしろ完全なものをめざして努力しよう。(☆02)

さて、1845年から46年にかけての連続討論は、ある意味で不毛だった。先に記したとおり、この2派の間には、革命か啓蒙かという戦略問題の前に、時代を読む世界観・社会観の問題が根底に存在していた。この問題は、この連続討論を分析するのに、きわめて重要である。大きく括るならば、マルクス・エンゲルスを支持するようになるシャッパーは政治的な文明派であるのに対して、イエスとミュンツァーを支持するヴァイトリングは社会的な原初派なのである。以下においてその概要を説明する。まずは、当時におけるマルクスの世界観から見てみる。

1847年11月30日、一時イギリス滞在中の若きマルクスは在ロンドン・ドイツ人労働者協会で演説し、その中でキリスト教における食人習と遺骨信仰に言及した。ヘーゲル左派のキリスト教批判を念頭におきつつ、「これまで研究されてこなかったのはキリスト教の実際的宗教儀式である」と発言し、その趣旨を以下のように説明した。

ご存じのごとく、キリスト教における最高の価値は人身御供である。さてダウマーは最近出版されたある作品の中で、キリスト教徒がじっさいに人間を虐殺し、聖餐式で人間の肉を食い、人間の血を飲んだことを実証している。(中略──引用者)人身御供は神聖なものであって、実際に存在したのである(☆03)。

マルクスはロンドンで、なぜこのような演説を行ったのだろうか。発言の中に出てくるダウマー著作『キリスト教古代の秘密』は1847年にハンブルグで刊行されたばかりだった。読んでみて、なにはさておき、それをロンドン在住のドイツ人労働者に紹介したかった可能性は十分にある。なぜなら、『人類』の著者ヴァイトリングは、1844年秋から46年末までロンドンに滞在し、1845年にスイスで刊行してあった『貧しき罪人の福音（*Das Evangelium eines armen Sünders*, Bern, 1845.）』の内容をもってドイツ人労働者に対しイエスの言葉で革命宣伝を強化していたからである。この頃からマルクスによって激しく非難されることになったヴァイトリングの思想には、反キリスト教にして親イエスの観念すなわち原初的信仰の地下水が流れこんでいた。

キリスト教対する私なりの区分法で説明すると、中世キリスト教はヨーロッパ・文明を意味し、イエスの時代におけるイエス崇拝やマリア崇拝はアジア・原初を意味する。現存するキリスト教は総体としてはこの2者のシンクレティズムである。しかし、ときにその2者は相互に価値を否定しあう。キリスト教信仰はときにイエス崇拝やマリア崇拝を支え、ときにそれらに支えられる。ときにそれらを否定し、ときにそれらに否定される。フレイザーの大著『金枝篇』を読むと、かつて諸大陸の日常生活者は民族の無病息災を願って、儀礼として神自身あるいは神を宿す聖なる王を殺し、あるいは神的生き物のカニバリズムを行っていたことがわかる。その儀礼の一つに〈最後の晩餐〉やイエスの処刑、聖母食習をも数えるならば、キリスト教信仰（文明的宗教）とイエス崇拝（原初的儀礼）とを排他的でなく交互的に理解することになる（☆04）。

新約聖書に書かれている最後の晩餐では、イエス自らが食卓のパンとブドウ酒を指して「私のからだ」を食するよう使徒たちに宣言した。「聖体拝領」の起原である。聖体すなわちイエス・キリストの身体を信徒たちが共同で食する儀礼である。それは、プロテスタント教会では陪餐と称し【象徴】とみなすが、カトリック教会では【実体】とみなす。カトリックの儀礼はトレント公会議（16世紀中ごろ）での決定にしたがった正統な行為である。プロテスタントの儀礼は、カルヴァンやツヴィングリの修正動議を受け入れて成立している。両派のうち、カトリックは原初的でありプロテスタントは文明的である。

マルクスは、1847 年 11 月の演説で、いとも容易くキリスト教徒の人身御供を肯定し、しかもそれをプロテスタントの本質にも関連させた。マルクスは、中世キリスト教の中に息づくオリエント起原の自然信仰（原初①）およびゲルマン・ケルト起原の自然信仰（原初②）を、あやまって中世キリスト教＝ローマ・カトリック教義の本質と解釈してしまったのである (☆05)。

キリスト教における原初的形態から文明的形態への転訛を、私は「価値転倒」という術語で体系的に議論している。歴史的にみて判明する系譜を以下に記してみる。まずはイエスとほぼ同時代のセネカは、文明のローマに疑念を抱き、イステル河畔の自由人・野生人に幸福を見いだした。16 世紀ドイツのミュンツァーは、封建諸侯に敵対して千年王国を地上に実現しようと行動に出た。財の共同をめざすバブーフとブランキは、文明へのカウンターパワーを組織しようと試みた。そして、アナルシつまり文明＝統治の欠如を回復しようと経済革命に奔走したプルードンも、価値転倒の思索者群像に含まれる (☆06)。だが、マルクスは違った。彼は文明の進歩に未来を託したのだった。1845 年から 46 年にかけてロンドン労働者教育協会あるいは義人同盟内外でたたかわされた【革命か啓蒙か】の論戦には、このような文明論的対立が潜んでいたのである。価値転倒の地下水脈から噴出した伏流水の氾濫＝叛乱でもある。

注

01　ヴァイトリングの〔革命即社会革命〕論については、以下の拙著を参照。『革命職人ヴァイトリング』第 2 章第 3 節第 1 項「ヴァイトリングの〔革命即社会革命〕論」。

02　Wilhelm Weitling, *Die Menschheit, wie sie ist und wie sie sein sollte*, Bern, Verlag von Jenni, Sohn, 1845, S9.　本書、18-19 頁。

03　マルクス、増谷英樹訳「1847 年 11 月 30 日の在ロンドン・ドイツ人労働者教育協会でのマルクスの演説の議事録」、『社会主義史・労働運動史アルヒーフ』第 8 年次、ライプツィヒ、1919 年、にはじめて発表、『マルクス・エンゲルス全集』補巻 1、大月書店、1980 年、522-523 頁。

04　以下の拙著を参照。『フレイザー金枝篇のオントロギー──文明を支える原初性』社会評論社、2021 年、第 7 章、159 頁以降。

05　以下の拙著を参照。『フォイエルバッハの社会哲学──他我論を基軸に』社会評論社、2020 年、第 12 章「キリスト教の中の原初的信仰──マルクスを論じてフォイエルバッハに及ぶ」、176 頁以降。

06　以下の拙著を参照。『価値転倒の思索者群像──ビブロスのフィロンからギニアビサウのカブラルまで』柘植書房新社、2022 年。

第３部

フォースと
ヴァイオレンス

第１章　ビュヒナーの檄文『ヘッセンの急使』

１．カウンターパワーとしてのバリケード戦

労働者革命は古今のどのような革命とも異なって人民総体がたたかいとるものである、という思想と行動は、フランス革命以後、幾度か登場してきた。ただ、時代が下るにつれ、人民の支持・参加をとりつけるために武器はもはや不必要であり害悪であるとして、すべての運動を議会主義の一点に集約せんとはかる傾向が増大して来た。それを主張する人々は、たいがい市民的道徳論・友愛論に依拠している。けれども、国家暴力（フォース）に対抗するカウンターパワーとしての革命的抗力（ヴァイオレンス）の不可避性、積極性を主張する運動も、それはそれで世界各地の係争地で恒常的に噴出して来た。

さて、「フォース（force）」と「ヴァイオレンス（violence）」は本書のキーワードである。よって、まえもってこの２語について、私なりの定義的な説明をする。ある人が自宅でくつろいでいるところに、突然地震が発生して家屋が倒壊して犠牲者になったとする。その揺れが自然現象であれば、それは自然の猛威ではあるが暴力ではない。その揺れが近隣の工事現場での事故によるものであれば、人災ではあるが暴力ではない。その揺れが近隣の軍事施設への空爆攻撃によるものであれば、暴力＝フォースである。まして、その一帯を狙った攻撃であれば明確な暴力＝フォースである。2022年２月に勃発したロシア軍のウクライナ侵攻はフォースの事例である。

ところが、その空爆＝暴力は、国際法に触れなければ殺人や人権侵害などでないともされる。しかし、非戦闘員が居住する被害地域にすれば、紛れもない暴力＝フォースだろう。連日続くようであれば、対抗措置を講じねばならない。抵抗・抗戦は、たとえ武器を携えていよ

うと防衛であって、それは抗力＝ヴァイオレンスである。暴力＝フォースではない。国際法に触れなかろうと、植民地支配国から被支配国への攻撃は、後者にとっては甚大な暴力＝フォースである。植民地解放戦争は、植民地の人々にとって支配の暴力＝フォースを挫く解放の抗力＝ヴァイオレンスである。フランス革命などの革命軍による攻撃は、歴史を推進する〔革命的抗力〕＝ヴァイオレンスだった。フランス革命期に従軍したドイツ人ゲーテは、1792年に革命軍がプロイセン・オーストリア連合軍を破ったヴァルミーの戦いを目撃してこう述べた。「この地から、しかも今日から、世界歴史を画する一つの新しい時代が開けるのだ。そして諸君は、そこに居合わせたと言うことができるのだ」(☆01)。私は、この戦いをヴァイオレンスとし、はじめは革命防衛であったもののヨーロッパ・侵略制覇に転じたフランス軍のナポレオン戦争(1796-1815)をフォースとしている。この区分は、いかなる暴力ないし戦争も人類に対する犯罪であり絶対許してはいけないとか、防衛戦争は平和を維持するための必要悪だとか、そのような人道的、倫理的な立場からなされてはいない。歴史上に存在し抗争を繰り返してきた暴力行為、戦争現象を学術的に分析する立場として、私が採用しているものである(☆02)。その態度は、ナチズムを学術的に捉え、「民主主義はファシズムに比べれば数倍の長所をもっているが、両者の共通基盤までを否定してはならないであろう」と言い放ったわが恩師、村瀬興雄に倣っている(☆03)。

労働者革命における抗力（カウンターパワー）の役割は、バブーフ以来マルクス（主義）が登場するまでは、秘密結社とバリケード戦によって提起され続けてきた。そのたたかいは、ときには学生やインテリゲンチヤを主体として、ときには飢餓に苦しむ貧民大衆を中心として、またときには双方が一緒になって展開された。その時々のスローガンが、市民的民主主義（自由・平等・友愛）を標榜するものであれ、民族統一・祖国解放を標榜するものであれ、彼らのたたかいは、たえず凶暴な国家暴力と対決せざるをえず、それを自明のことと判断せねばならなかった。

ヴァイトリング著『人類──あるがままの姿とあるべき姿』の解説を補強する意味で、私は、革命的抗力の始原を武装蜂起の歴史に見い出し、それを闘争の中核とする革命家たちを一様に革命的抗力派として取り出し、彼らをあれこれの議会主義派や啓蒙改革派と区別し、とりたててその諸相を描き出してみる。

なお、マルクスが登場してくる1840年代中頃までの革命運動史において、共産主義(Kommunismus)という術語の概念、内容は明確さを欠いていた。ある人はキリスト教的愛の共同体(commnitas)を思い、ある人は中世以来の村落共同体(Gemeinde)や都市の同職組合(Zunft, Gilde)を思い、またある人は集団移住の新天地(Kolonie)を思い浮かべてきた。それらを一様に共産主義としていたのでは、議論に厳密性が欠け、種々の誤認が生まれる。それで、せめてもの方策として、私は、マルクスとエンゲルスが理論化して以後の“Kommunismus”のみを共産主義と表現し、それ以前やそれ以外の文脈・人脈にある“Kommunismus”については、「コムニスムス(独語)、コミュニスム(仏語)、コミュニズム(英語)」とカタカナで記すこととする。こちらの概念は雑多なので注意が肝要である。なお、この区分はヴァイトリング『人類』の翻訳で採用しているものである。

さて、本稿の論の構成と内容は次の諸点である。

第1点。バブーフやブランキの思想と行動に関し、いままで流布されてきた通説、イメージに変更を加えることである。バブーフ思想は粗野な共産主義だ、平等至上主義だというイメージ、またブランキズムは一揆主義だ、陰謀至上主義だというイメージは、革命運動史における常識みたいなものである。だが、彼らを救済しようとする人々は、その常識をくつがえそうとする。手段は何か。簡単である。マルクスと対比するな、それ以前の革命家なのだから、ということである。バブーフが粗野な理論をもったとしても、それはマルクス主義からみてのこと、あるいはそうした時代情況だったから、という内容が救済の骨子となるのである。言ってしまえば、バブーフもブランキも、過去の人物としては偉大だった、という結論に落着くのである。私は、そのような意味で従来のイメージに変更を加えるのではない。バブーフやブランキの理論（コミュニスム）中に、マルクス（共産主義）以後もなお、あるいはマルクス主義諸派によって殺がれてしまったものの、現代もなお光を放つものが存することを訴える意味で、常識に抵抗するのである。

第2点。えてして常識用語のブランキストにみたてられるヴィルヘルム・ヴァイトリングの革命的抗力論を検討することである。ドイツ労働運動の父などと称されるヴァイトリングは、ブランキほど世に知られていない。せいぜい、マルクスが登場する以前の空想的共産主義者の一人だ、くらいの認識が多いかも知れない。けれども、マルクスの同時代人であるローレンツ・シュタインなどは、マルクス主義者が空想的と評価する思想家たちを科学的に評価している。彼が1842年に著した『今日のフランスにおける社会主義と共産主義』では、サン・シモンやフーリエはみな科学的社会主義者であって、共産主義者にはバブーフが括られている。シュタインは、本書の第二部第一章の題名を「社会主義の一般的科学的な性格」としている。ここにいう「社会主義」はむろんフーリエやサン・シモンの思想体系を指す。そのように表現することで、シュタインは上記フランス社会主義を自著できわめて高く評価するのである（☆04）。

ヴァイトリングは、フランス・コミュニスム（バブーフ、ブランキ）の影響を受け、またフーリエのアソシアシオン論やラムネのカトリック急進思想に感化されながら、パリでドイツ解放運動に乗り出す。当時のドイツ、1830年代40年代のドイツはユンカー（地主）勢力を基盤とする保守主義が優勢であり、革命運動は外国のパリやロンドンで準備された。パリに集った亡命ドイツ人は、1830年代後半に至ると、ヴァイトリングを先頭にドイツ解放をスローガンにして労働者運動を展開する。それは財産共同体（Gütergemeinschaft）の実現を目指す運動でもあった。バブーフ以来、社会革命を指向するグループが潜在的に形成されつつあったにせよ、ヴァイトリングによる目的意識性をもった社会革命理論がパリで提起されると、それはドイツ諸邦に浸透し、若きマルクスを感激させ、哲学者フォイエルバッハの賞賛を得、ロシアからスイスにやって来た総破壊の使徒バクーニンをも感動させたのである。

だが、ヴァイトリングは何よりもブランキの行動に影響をうけたものだから、彼と同じような行動をとっていく。ヴァイトリングは、ブランキが犯したと同じような誤ちをも繰返すのである。その誤ちを、私は〈暴動即革命〉論と名づけている。これが、従来ブランキズムと称されてきたものである。そのようなブランキズムについて明確に分析した人物に、ロシア革命指導者の一人、レフ・トロツキーがいる。彼はこう記している。

> ブランキの通則は、軍事・革命的リアリズムの要求であった。ブランキの誤謬は彼の直接の定理にあったのではなくて、彼の逆の定理にあったのである。戦術的無力さは蜂起を敗北させるという事実から、ブランキは反乱の技術を遵守しさえすれば、勝利は保証されると結論した。ただこの点でだけ、ブランキズムをマルクス主義と対照させることは妥当である（☆05）。

またヴァイトリングは、パリで宗教的プロパガンダの有効性を知り、そのような傾向のコムニスムスを説く。これを、私は〈メシア・コムニスムス〉と名づける。さらにまたヴァイトリングは、市民革命後のフランスで活動するあまり、ドイツを一挙に財産共同体へ導こうと考える。そうした、市民革命を踏まえない一挙的な理論を、私は〈革命即社会革命〉論と名づけている。以上のような、ヴァイトリングの革命論の検討の中にあって主軸をなすのは、もちろん革命的抗力論である。

第3点。ヴァイトリングに象徴される労働者コムニスムスが、マルクスの哲学的共産主義と結合していく段階で、革命的抗力がいかに発展的に継承されていくかを探ることである。ブランキやヴァイトリングの革命論に観察される〈暴動即革命〉論を、ヴァイトリングが登場する以前に批判していた人物がいる。それはゲオルク・ビュヒナーである。だが、実際的にその理論を批判しきれたのはマルクスである。マルクスは、ドイツ革命を経験する過程で、革命的抗力を文字どおり労働者階級によって組織されたカウンターパワーとして提起する（☆06）。ブランキにしてもヴァイトリングにしても、その提起は〈暴動即革命〉論の外被を伴わざるをえなかったが、マルクスはその桎梏を打破したのである。打破せんと苦悩したビュヒナーは若くして死んでしまうのである。

第4点。以上の革命家たちすべてに共通する問題として、革命的抗力と、それを体現する主体、革命的な階層との結びつきを検討することである。労働者革命をカウンターパワーで以て貫徹せんとする人々が、いったいだれを、どの階層を、その体現者に想定したかということは、様々なのである。まずバブーフはサン・キュロットと貧農に期待する。ブランキとヴァイトリングはサン・キュロットの末裔、都市下層民に期待する。ビュヒナーは貧農に期待する。そしてマルクスは近代賃金労働者にそうするのである。この問題も「空想」という言葉で簡単に処理されそうなだけに、きわめて重要だろう。ことに、マルクスは近代賃金労働者を革命の主体にみたてたが、それを現代の労働者にまで推し広げてみると、様々な疑問がおこってくる。

以上の議論を、私はまずもって1975年に『叛徒と革命──ブランキ・ヴァイトリンク・ノート』（イザラ書房）で公けにした。私が同書を著そうとした動機は、以上の諸点から推測されることと思う。第一に、革命的抗力の今日的意義を再確認することである。第二に、そのためにはブランキを復権させ、「ブランキスト」ヴァイトリングのイメージを打破することである。また、マルクスの中にヴァイトリングを見とおし、バブーフまでを見とおすことである。そして最後に、マルクス自身の思想とはちがうマルクス主義を断罪することである。

2 ヘッセンにおけるカウンターパワーの構築

七月革命（1830年7月）以降の1830年代に、フランスでサン・キュロットの末裔が、いまだ共和主義的運動の中にありつつも、いよいよ自立したものとしてプロレタリア運動を展開していた頃、後進国ドイツでは、ウィーン体制の牙城ドイツ連邦当局の反動このうえなき策謀によって、そのような運動のおこせる余地など殆んど存在しなかった。オーストリア帝国の宰相メッテルニヒは、ナポレオン以後のヨーロッパを、神聖同盟という復古支配体制で牛耳ろうと画策したのである。そして、ドイツにおける「自由と統一」を徹底的に弾圧しつくすことに国家利害をみいだすメッテルニヒは、けっしてドイツの政治的統一と市民的自由主義の発展を望まず、ただオーストリア一国の利害とヘゲモニーのもとに弱小諸邦を従わせ、おさえつけ、現状を維持しようと目論んだのである。

1813年にナポレオン軍を撃破した諸国民戦争ののち、ドイツの民族統一の気運は、やがて反政府的運動として高まっていく。その第一弾はヴァルトブルク祝祭である。1817年10月に、現テューリンゲン州のヴァルトブルクの森で「全ドイツブルシェンシャフト」の創立が宣言された。ルター宗教改革300周年とライプツィヒ戦勝4周年を記念するこの祝祭には、大学の教師、学生が参加し、いまだ共和主義的知識人の指導する運動であったにせよ、またスローガンの内容もフランス大革命以来の政治的自由・統一の次元にあったにせよ、それだけでメッテルニヒの体制に打撃を与えるに十分だった。復古君主連合としてのドイツ連邦当局は、この類の集会や政治運動に対し、手ごろな弾圧の口実を探した。1818年におこった劇作家アウグスト・コッツェブー暗殺事件である。コッツェブーはヴァイマール出身だが、40年間ロシアで暮し貴族となった。彼は、ヴァルトブルク祝祭当時には、ロシア皇帝の文化使節としてドイツに来ていた。そしてこの祝祭を批判した文章を発表したところ、反動の手先として血祭にあげられたのである。イエナ大学のブルシェンシャフト最左派（無条件派）のカール・ザントが彼を刺したのだった(☆07)。このようなテロ事件が契機となって弾圧は強化されていく。それは1819年8月のカールスバード決議に示される。

メッテルニヒはカールスバードの会議において、コッツェブー暗殺等はブルシェンシャフトの陰謀であるとして、その取締りを強調した。そして大学法、出版法、デマゴーク取締規定を可決し、フランクフルト・アム・マインの連邦会議で、討議をぬいた満場一致の決議をさせたのである。これによって学生運動は禁止され、全大学は諸邦政府の監督下におかれることになった。また、言論・出版の自由は奪われ、検閲体制が敷かれたのである。大学を追われたブルシェンシャフターや教師たち、それにデマゴーク狩りで迫害された先進的分子は、当面非合法下で活動するか、またはドイツを去ることになる。とはいえ、この弾圧強化は、従来の政治的・民族的スローガン「自由と統一」にいっそうの磨きをかけ、ふるいにかけることになった。活動家の一部分は脱落し、一部分は単一共和国の理想を断念し、さしあたり諸邦分立のままで憲法闘争をたたかおうとし、残る一部分は非合法闘争に転じてでも、復古体制を打倒するべく突出した戦闘を展開し始めた。

ウィーン会議からカールスバード決議を経る中で、ドイツ連邦は反動体制を強化していくが、それでも自由主義的、共和主義的運動は絶えることがなかった。それはやがて、1830年のフランス七月革命を契機として再燃する。七月革命の余波はドイツに及び、まもなく西南ドイツをはじめ各地に散在する急進的民主主義者たちがプファルツ地方のハムバッハに集合したのである。1832年5月27日、バイエルンの憲法制定を記念するこの祝祭には、2万とも3万ともいわれる人民大衆が参加した。この集会と大デモンストレーションには、ヴァルトブルク祝祭の時とちがって、学生、教師のほか、手工業職人、農民、それに婦人も多数参加し、ポーランドやフランスの活動家も加わっていたのである。祝祭のリーダーはフィリップ・ヤーコプ・ジーベンプファイファーとゲオルク・アウグスト・ヴィルトである。ヴィルトは、急進的なインテリゲンチャの武装襲撃よりも、自由主義・民主主義的要素をも含む反封建の統一戦線を指向する。彼はその後、スイスにおけるドイツ手工業職人の政治活動に加わって啓蒙路線を提起する（☆08）。そのような理念が指導的である以上、この祝祭のスローガンは、共和主義の基盤にたってドイツの国民的統一を果たし、ヨーロッパ全体の民族を解放する、という内容にとどまる。それでもここに、メッテルニヒ体制打倒への統一した、国境を越えた統一戦線が組まれたのである。

ハムバッハ祝祭に対するメッテルニヒの弾圧はすぐさま開始された。祝祭指導者のヴィルトやジーベンプファイファーは翌6月に逮捕され、7月には民主主義的政治結社、国民的祝祭、急進的な新聞の発行禁止等の条令が、連邦当局によって制定されたのである。この弾圧は、七月革命を契機として再燃したドイツ解放運動に、またもや分裂と非合法化をもたらしていく。共和主義的急進派は、議会主義路線にのめり込もうとする市民的自由主義者をもはや相手にせず、ドイツを武力的に転覆させようと計画し、叛乱を実行する。その一つの典型が、翌1833年4月3日夜に決行されたフランクフルト警察本部襲撃の冒険である。この奇襲は、「フランクフルトで開かれているドイツ連邦会議を粉砕して、南ドイツの民主勢力を糾合し単一ドイツ共和国を建設することを目標」（☆09）としてたたかわれた。わずか数十名の学生、急進的インテリゲンチャ、職人が企てたにすぎないこの蜂起は、軍隊によって鎮圧され、大衆的な蜂起にはなりえず敗北した。けれども参加者の中には、フランクフルト市民に保護され、逮捕をまぬがれた人々もあったという。この蜂起は敗北したが、にもかかわらず、一方で議会主義路線による妥協的方針を固執する市民階級には解決不可能な、支配階級、国家暴力との武装闘争、フォースに対抗するヴァイオレンスの教訓を残していく。

フランクフルトでの敗北は、ドイツ連邦当局の弾圧をより一層強化させた。それまでにも続行されていたデマゴーグ狩りはいっそう厳しくなり、「ドイツ連邦の存続とドイツの国家秩序に敵対する陰謀に関する」（☆10）連邦決議が出され、フランクフルトに、連邦会議所属の中央調査委員会が設置された。この委員会は、「ドイツ連邦内の各地において暴動をおこす陰謀に関し、入手したすべての資料を編集すること、事実を解明すること、主謀者と共犯者を調査すること、そしてこれにより害悪の根本的除去に関する提議をとりむすぶ」(☆11)ために設けられた弾圧機関である。

このようにして強化されたメッテルニヒの弾圧は、あらゆる民主主義的改革を踏みにじり、ドイツでの市民的・共和主義的発展の道を一切封じ込めていった。そしてまたこの策動は、反動権力が推し進めたものとはいえ、いまだ己れを一つの階級として強力にし得ない市民階級の一部分が、専制を覆そうとせず、かえってそれを己れの利害と妥協させていく中で進行する。その意味から、「自由と統一」の運動は市民階級によっては十分展開されず、市民的民主主義革命の課題は下位中産階層の共和主義的急進派が、そしてまた、すでに諸外国の資本主義的害悪を感じとった労働者が、最前線に立って推進することになる。メッテルニヒの一連の弾圧に対し、武器をとってでも抵抗しようと考える者にとって、批判は当局のみならず、市民的自由主義者へも、またフランクフルト暴動へも向けられねばならなかったのである。そのような模索は、フランクフルトの事件があってのち、ドイツ国内にただ一つ存在した。大衆運動を起こそうとしても権力の壁にぶつかってしまう、奇襲を決行してもすぐさま倍加された暴力によって鎮圧されてしまう、という苦しみは一人の青年を革命運動史に登場させた。その苦悩を解決しようとした人物こそケオルク・ビュヒナーである。ビュヒナーとその同志ルートヴィヒ・ヴァイディヒのたたかいは、フランクフルト事件を媒介にして、国家権力に対決する革命的抗力の真髄をまざまざと示してくれる。

ビュヒナーは、1813年10月に、ヘッセン大公国の首都ダルムシュタット近郊ゴッテラウに生まれた。彼が3歳の時、ビュヒナー家はダルムシュタットへ移転し、彼は12歳で同市のギムナジウムへ入学する。そして1831年、そこを卒業し、フランス(アルサス州)のシュトラースブルクに留学する。アルサスとロレーヌ、またはエルザスとロートリンゲンというように、この地方は、ある時はフランス領に、またある時はドイツ領に併合されるという悲運な土地だった。ドイツとスペインのハプスブルグ家が英・仏・蘭等の反ハプスブルグ連合と戦った三〇年戦争は、ハプスブルグ家の弱体化に終わった。そして1648年のウェストファリア条約で、フランスはアルサス、ベルダン、ツール、メッツを獲得した。その時以来ビスマルクが登場するまで(1871年フランクフルト講和条約)、アルサスは仏領となった。その地でビュヒナーはフランスを体験したのである。1831年といえば、かのリヨン職布工の叛乱が労働者運動の自立を告げ、ルイ・フィリップの政府がまさに有産市民王政であることを世間にみせつけた年である。シュトラースブルクには、フランスから革命の鼓動が寄せてくる。サン・シモンの革新思想はビュヒナーをとらえる。ブランキらによる秘密結社運動の余波が届き、人権協会の支部が設立されていく。1831年から33年にかけて、シュトラースブルクでの生活は、ビュヒナーにとって貴重なものであった。

ところでヴァイディヒの方といえば、彼は1791年にナッサウに生まれ、1808年から10年にかけてギーセン大学に在籍し、12年からヘッセン大公国のブーツバハで教師(小学校長)をしていた。1813年10月、ちょうどビュヒナーが生まれた月に、ドイツ(プロイセン、オーストリア)は、スウェーデン等とともにロシア帰りのナポレオンの惨敗軍に戦いをいどみ勝利した(ライプツィヒ諸国民戦争)。ヴァイディヒはそれを目のあたりに体験したが、ウィーン体制が確立されると、彼はドイツの反動君主連合に立ち向かう勇敢な闘士として活躍し、ブルシェンシャフトの組織化に努力した。研究者の伊東勉はヴァイディヒの思想的性格を次のように描写している。

> ヴァイディヒは「学生組合の急進派の指導者であったカール・フォーレンから深刻な思想的影響をうけた。もっとも、このカール・フォーレンの急進派はドイツのジャコバン党をもって自任していたけれども、その内部は思想的に不統一であった。(中略──引用者)

ヴァイディヒは民主主義者としてドイツ統一とドイツの民主化とを熱望した。けれども、かれは国民帝制 (Volkskaisertum) を理想としていた。国民帝制とは帝制の下における民主的なドイツ統一であって、シュタイン男爵の懐抱していた思想である (☆12)。

ビュヒナーはアウグスト・ベッカーを仲介としてヴァイディヒと知り合った。ときは、ビュヒナーがシュトラースブルクを離れダルムシュタットへ帰り、それからギーセン大学へ移った1834年初頭のことである。ヴァイディヒの目標とビュヒナーの構想とはしばしば対立した。ビュヒナーはシュトラースブルク滞在の頃すでに重大な発言をしている。1833年4月のフランクフルト事件を知った彼は、その数日後に家族へあてて以下の手紙を書いた。

今日、フランクフルトの事件に関する手紙を受けとりました。私の考えはこうです。もしこんにち何か役に立つものがあるとすれば、それは暴力です。若者たちは暴力をふるうといっては非難されます。けれども私たちは永久に暴力支配に釘付けされてはいないでしょうか？ 私たちは牢獄に生まれ育ってきたから、手足をがんじがらめにされて穴蔵におしこめられ、猿ぐつわをはめられているのに気づかないのです。いったい合法状態とは何のことでしょうか？ 何の値うちもない堕落した少数者の不自然な欲求を満足させるために、国家市民の大多数を苦役用の家畜にしたてる法律のことでしょうか？ この法律ときたら、野蛮な軍隊の暴力とその法律の手先の愚劣きわまる狡滑行為によって支えられているのです。この法律は、正義と健全な理性に加えられた際限なき、野蛮な暴力です。私はかなうかぎり、これに対し口と手でたたかいます (☆13)。

フランスでの思想的影響下で有産市民王政の諸矛盾を体験しつつあったビュヒナーにとって、自由主義的な市民階級は敵であった。彼の市民階級批判は徹底したものである。史的考察を踏まえてのことであるなしにかかわらず（もちろん彼にとってフランス革命の研究は課題の一つだったが）、それは本能的ともいえるほどすさまじい。あれこれの請願などはもちろんのこと、自由主義的市民とか隠健な民主主義者との共闘なども考えに入らない。ヴァイディヒが反封建の統一戦線を構想していたのとは対照的である。革命的抗力を除いてドイツの変革はありえない、議会や法律にかなった運動などごまかしでしかない、という。彼はフランクフルト事件を知ってこの手紙を書いたのである。ヴァイディヒはこの奇襲を事前に知っていた。彼はハムバッハのような国民的統一戦線をヘッセンにも拡大しようと躍起になるが、1832年7月の条令でそれはかなわなかった。その後フランクフルトの計画に彼も積極的に参加したのであるが、もちまえの統一戦線的視野から、それが少数者の孤立した死闘になることを恐れた（☆14）。またもやコッツェブー暗殺の時のように、ただ反動権力の弾圧に口実を与えてしまうのではないかと恐れたのである。この事件に直接加わらなかった彼は、それでも一端事がおこるや、事後、逮捕された同志の救援に奔走するという一面をもっていた。そのような彼に対し、ビュヒナーはこの事件に二とおりの意思表示をしている。一つは先に引用したこと、つまり、それでも暴力以外に解決の道はない、という革命的な信念。そしてもう一つは、その後に続く書面が明らかにしてくれる。

> 私はその事件には参加しませんでしたし、今後起こることにも恐らく参加しはしません。けっして否認したいためでも怖いからでもなく、目下の時点ではどのような革命運動もみな無益な企てだとみなすからであり、ドイツ人は自らの権利のためにいつだって戦うだろうと判断する、そうした眩惑に与しないからにすぎないのです。この狂気じみた考えがフランクフルトの突発事件を惹き起こしたのです。その誤りは厳しく罰せられました。それでも誤りはけっして罪ではありませんし（中略）私は失敗した人々に同情します。私の友達のうちに連座した者はいませんでしょう

か？（☆15）

ビュヒナーの手紙の、この二つの見解は実に興味深い。彼は革命的暴力の必要性を強調するとともに、フランクフルト事件のような行動ではけっして大衆を惹きつけないだろうと警告する。この点は非常に重要である。だが少数者の死闘にかえて、何を提起しようというのか。彼は「目下の時点ではどのような革命運動もみな無益な企て」であると述べているから、暴力の主張とは矛盾しているようにみえないだろうか。その結論については、ドイツへもどってのちの実際行動で検討しよう。

1834年にギーセンでヴァイディヒと会ったビュヒナーは、彼と激論をたたかわせながらも、同年春に秘密結社を組織する。それは彼がシュトラースブルク時代に見聞きしたフランス人の結社と同名の「人権協会」である。名づけ親はもちろんビュヒナーである。メンバーはA. ベッカー、K. ミンニゲローデ、J. シュッツ、G. クレム、D. シュナイダー、G.M. ファーバー等約20名ほどである。メンバーやこの結社に関しては、当時ギーセンの高等裁判所判事をしていたフリードリヒ・ネルナーという人物が、以下のように権力側の説明をしている。

> 1833年の大逆的陰謀（フランクフルト事件—引用者）に参加したという理由で捜査を受け逮捕された者らも1834年月3月に釈放されると、ヴァイディヒと協調し、新たに人を得て強くなり、そのほとんど全員が反国家的活動を続行した。（中略）ギーセンでは二つの結社が新たに生まれた。その一つは、革命党の前衛の意気と精神を持ち、煽動的パンフレットによって国民に働きかけ、その心を革命に向けさせようとするものであり、他の一つは、純粋な学生結社で、1832年12月のシュトゥットガルトのブルシェンシャフト決議に応じて、ブルシェンシャフトを革命的クラブとして復興させることを目的としたものであった。最初の、単に学生だけに限定されていない結社（は）（中略）主にゲオルク・ビュ

ヒナーの力で設立されたといわれる（傍点原文）(☆16)。

ビュヒナーはフランクフルト事件を踏まえて以上の行動に出たのである。だがさらに、彼が人権協会で何をしようと欲したか、ということを検討せねばならない。さもないと、この結社がまたぞろ奇襲に出る方針を固めれば、彼の総括は何にもならないからである。

3．ビュヒナーの檄文『ヘッセンの急使』

ビュヒナーは結社設立ののち、1834年5月にある一つのパンフレットを起草した。ベッカーはこれを清書してブーツバハのヴァイディヒ校長にとどけた。ヴァイディヒとビュヒナーは諸々の論争で対立してきたが、このパンフレットについても同じことが生じる。1834年当時43歳のヴァイディヒは、すでに長く反封建闘争を体験してきて、ドイツ（ことにヘッセン）の革命情勢についてはそれなりに自論をもっていた。ところがビュヒナーの方は、いまだ弱冠21歳であり、わずか2年間のシュトラースブルク留学を終えたばかりの、闘士としてはずぶの素人だった。ヴァイディヒは手渡された原稿を読み終えると、それに手を加え、それから『ヘッセンの急使』というタイトルを付けた。『ヘッセンの急使』、これこそ革命的カウンターパワーの歴史上、16世紀前半にトーマス・ミュンツァーがザクセン公ヨハン（選帝侯の弟）らの前で行った「預言者ダニエル第2章の解釈」（いわゆる「御前説教」1524年）や檄文『あからさまな暴露』(1525年）などを除けば(☆17)、ドイツで最初の不滅の革命文書となるものだった。ヴァイトリングの『人類』に先んずること4年、それもフランスでなくドイツで、これは登場したのである。

ヴァイディヒはビュヒナーの原稿の、どこにどのような手を加えたのだろうか。現代ドイツの社会派詩人H.M.エンツェンスベルガーは次のように指摘している。

> 文書の基調はビュヒナーのものである。ヴァイディヒはそれを徹底的に修正し、細部にわたって変更を行ない、むすびをつけた。彼は、自由主義的な所有階級に敵対する論難を削り取り、そのかわりに貴族、宮廷、それに官僚主義に対する攻撃をできるかぎり鋭くした。ごくわずかではあるが決定的な修正が、この文書作成の特徴となっている。すなわち、ビュヒナーが「金持」を攻撃するために使った言葉をヴァイディヒはすべて「お偉がた」という言葉に置きかえ、その結果ハンフレットの打撃方向、つまり政治的目的を基本的に変えてしまったのだ（☆18）。

ずぶの素人ビュヒナーと歴戦の勇士ヴァイディヒの対立は、けっして経験や年齢の過多過少によっては解決されない。ビュヒナーの立場は市民王政に敵対するリヨン絹織工の立場とあい通ずる。ヴァイディヒの立場は、必ずしも自由主義的市民階級を認めて憚らないというわけでないにせよ、反封建の一点で結集する統一戦線の立場である。両者ともフランクフルト事件を批判した。それでもビュヒナーは、民衆のカウンターパワーを前提から取り払わなかった。ヴァイティヒは統一戦線を破る何ものにも与したくなかったが、一端決行されたら精力的に援助する態度だった。両者は訣別するには近しすぎ、結束するには隔りがありすぎたのである。ビュヒナーは、自ら起草した文書に手が加えられ、思いもよらぬ加筆修正が施されているのに腹を立てた、そのような文書はもはや自分のものでなくなってしまった、と。しかしヴァイディヒにはねらいがあった。反封建の統一戦線上不利益にならないよう配慮することはもちろんだが、もう一つあった。それは、この文書が配布される直接対象である農民たちへの配慮である。牧師ヴァイディヒは原稿にキリスト教的装いをこらしたのだ。彼は農民の社会的反抗と宗教的感情の結びつきを計算したのだろう。ビュヒナーは、シユトラースブルクでサン・シモンの社会思想に触れても、フェリシテ・ド・ラムネが説く宗教的な大衆運動には気がつかなかったのか、あるいはまた、のっけから宗教を否定していたのだろうか。この点については、後者があてはまるだろう。彼は、ギムナジウム時代にあって、すでに宗教批判を展開しており、やがて無神論の方向に進んだのだから。

ところで、農民への宣伝効果、この点に最大の関心をもっていたのはほかならぬビュヒナーその人だった。彼は少数革命家の奇襲を拒否し、なおかつ革命的抗力をかかげてはばからない。そして彼はこれを体現する階層、革命的な階層を貧農にもとめたのである。インテリの行動や文学運動などで何ができよう。彼はカール・グツコウなど文学運動を推進する人々（青年ドイツ文学派）とも交際したが、けっして彼らの仲間にはならなかった。革命的抗力の体現者は文学者や著述家などではなく、別のところにいる。彼の目標、フランクフルト事件の総括は貧農たちに革命宣伝を徹底させることだった。トーマス・ミュンツァーの革命神学について、アナキズム研究者のジェームズ・ジョルは言う。「革命後の世界がどうなるかということよりも、反抗という行為をいっそう重視するという点において、あきらかにミュンツァーはあるタイプの革命家を代表している」(☆19)。この指摘はビュヒナーにもヴァイトリングにも言い当たっている。

宣伝者は少数でも体現者は全体である、ドイツ国民中の圧倒的な人数を構成する下層民、それも貧農たち、彼らが武装を組織し得たときこそ、それまで微動だにしなかった国家権力はみごとに粉砕されるだろう。ビュヒナーは家族にこう打ち明けた、「暴力には暴力を以て報復するでしょう。どちらが強者であるかはそのうちはっきりするでしょう」(☆20)。ブランキが都市の下層民に期待したものを、ビュヒナーは農村の最下層民に期待したのである。「多数の人々のぎりぎりまで追い込まれた窮乏だけが変革を惹き起こせる」(☆21)のであり、「貧民と金持ちの関係だけが世界に唯一の革命的な要素」なのであり「独り飢餓のみが自由の女神になれる」(☆22)のである。最下層貧民への熱烈な期待は、こうして、革命と飢餓の抱き合わせとなっていく。ビュヒナーは述べる、「農民を肥やそうものなら革命は卒中を起こします。どの農民の鍋にも牝鶏が煮えようものなら、ガリアの雄鶏は死んでしまいます」(☆23)。ガリアの雄鶏とはフランス革命あるいはフランスからの革命の波及ということである。農民よ貧しくあれ、さすれば救われん、という具合である。

ビュヒナーは貧農の中に革命の主体をみた。このことは、たとえば、近代賃金労働者階級を共産主義革命の主体にすえるマルクス主義的な視点からは批判される。現実有効性の面からみて、ビュヒナーの判断はユートピア的、ないし一揆主義的だと批難される。しかし、被支配者たちにとって、契機さえあれば革命はいつでもどこにおいても現実有効性を有している。そう考える革命勢力の系譜上では、徹底的に虐げられてきたヘッセン農民層に決起を呼びかけるビュヒナーの行動は、輝かしい使命なのである。フランス大革命期のサン・キュロット運動とバブーフら平等党の連繫、1830年代におけるサン・キュロットの末裔とブランキら四季協会との邂逅、30年代ヘッセンの貧農とビュヒナーら人権協会の邂逅、それらの下地には、都市と農村における下層民の赤貧状態が歴然と存在していた。ただ彼らの運動は、あの復古的ウィーン体制下において、執拗に繰返される弾圧によって窒息死させられていたのである。赤貧の苦しみにあえぐ農民を知り、自由とか平等とかを口で訴えるだけの市民階級の没革命性を見ぬいていたビュヒナーにとって、ヴァイディヒ的立場はストレートに自己の立場とはならなかった。彼はすべての望みを貧農に託して『ヘッセンの急使』を配布したのである。そのような彼に、ヴァイディヒは十分協力した。以下に、『急使』の冒頭をあげよう。

> このパンフレットはヘッセンの地に真実を報ずるであろう。だが真実を語る者はだれも首を締められる。それればかりか、真実を読む者でさえ、偽証の得意な裁判官によって恐らく罰せられよう。(中略)
>
> あばら屋には平和を！ 宮殿には戦争を！
>
> (FRIEDE DEN HÜTTEN！ KRIEG DEN PALÄSTEN！)
>
> この金(税金——引用者)は人民の体内からしぼりとられた血税

> である。（中略）それは国家の名のもとに絞りとられる。強引に奪う者は政府を引き合いに出し、政府はといえば、それは国家秩序を維持するのに不可欠である、などと言う。一体全体何と暴力的なのだろう、国家とは？（中略）秩序のうちで生きること、それはすなわち飢えに苦しまされ虐待されることなのである（☆24）。

貧農たちに注意書を示しておいたにもかかわらず、受けとった農民たちの大半はこのパンフレットを警察当局へ渡してしまった。ビュヒナーは、半分は貧農たちの反応をためすつもりだったのかも知れないが、己れの企てが完全に失敗したことで、落胆せずにおれなかった。だがその暇もなく、ヘッセン政府の弾圧の手がのびてきた。配布を手分けして行った人権協会のメンバーたちは次々と官憲に追いまわされ、ミンニゲローデが逮捕された。ヴァイディヒとビュヒナーは、同志の救出を考えはすれど自らも危険となってきた。ヘッセン当局は、コンラート・ゲオルギーという判事を使ってビュヒナーを逮捕しようとする。とある事情から、彼は一時的に逮捕を免れたが（☆25）、翌 35 年になっても再三当局に呼び出される。ヴァイディヒの方はブーツバハからオーバーグレーンに移り、またもや宣伝文書の刊行に着手する。そして『急使』の第 2 版を刷る。しかし 1835 年中にはベッカー、そしてヴァイディヒが逮捕される。ゲオルギーが再度ビュヒナー逮捕に乗り出す。しかし彼は事前にダルムシュタットからシュトラースブルクへ亡命する。シュトラースブルクでの 2 度目の生活は、彼にとってどのようなものになっただろうか。留学当時の考え方から変化しないはずがない。身の上とて留学生でなく、こんどは亡命者なのだ。同地に来て 3 ケ月ほどのち、彼は弟のヴィルヘルムに書き送っている。

> 私はいまおまえに、政治的転覆の可能性が信じられるなど毫も言うつもりはない。私はこの半年の間に、何も為すべきでないし、いますぐ犠牲的行為をしようとする者はみな、愚か者が生命を無駄に捨てるようなものだ、と確信するようになった（☆26）。

彼はドイツでの革命運動がいかに困難であるかを味わったのである。また自由主義的市民階級の運動にもまったく発展の気運はありえず、けっして有益なことは為しえないと考えたのである。それでも、グツコウへの先に引用した手紙はこの年に書かれているから、貧農への期待は依然として強いままだった。ただ、もはや政治結社をつくってみてもドイツの現状では何にもならないと述べている。彼はギーセンで人権協会をつくり、ダルムシュタットにその支部まで設立したが、彼がシュトラースブルクへ来てのち、ギーセンの組織はもちろんのこと、ダルムシュタットの支部も自然消滅していったのである。

彼は翌36年10月に、シュトラースブルクからチューリヒへ向かう。その5ケ月前には、当分チューリヒへは行かないといっていたのだが、その時の理由は、在スイス・ドイツ人の政治結社青年ドイツ派（ハイネやベルネが所属する同名の文学派とは別）への弾圧である。青年ドイツ派のバーデンへの武装侵入を未然に阻止せんとしたチューリヒ州当局は、36年5月〜6月に思想弾圧を熾烈に行った。ビュヒナーはその際、青年ドイツ派のこうした行動を痛烈に批判している。そもそもこの計画を煽動したのはドイツ連邦当局のスパイであって、そんな口車にのっかるなど実際馬鹿げている、敵の思うつぼではないか、というのである（☆27）。彼としては、そのような状態のスイスへは当分いくまいと考えたのだった。では、彼は36年10月になってなぜチューリヒへ行くことにしたのか。それは、事件から数ケ月経ているということよりも、チューリヒへ行っても彼が追放されることはないと考えたからである。もっとも、このことを述べたのは家族への手紙の中なので、両親を安心させるためにそう書いたのかも知れない。ビュヒナーの説明によると、チューリヒで追放された人々は、1834年2月にマッツイーニ指導下で起きたスイスからサヴォアへの遠征参加者か今回の事件関係者だけだから、自分は大丈夫だというのである。そして実際、スイスで彼は革命運動から離れ自然科学の研究に没頭していった。だが、今まで述べてこなかったことだが、彼は檄文配布ののち亡命しようかどうかと考えている時でも戯曲『ダントンの死』を執筆していたくらいの人物である。非常な苦境、絶望にあってなお、自らの創作エネルギーをかきたてうる逸材である。だから、彼はスイスで本当は何を考えていたのか、あるいはもっと遠い将来に何をしようと考えていたのか、もはや本当に革命運動から手を引いてしまったのか、それらははっきりしない。というよりも、彼は翌 37 年 2 月にチフスに罹り病死してしまうのである。後世のビュヒナー研究者はいろいろな見解、仮説を提起しているが、本書にそれは直接必要でない（☆ 28）。

ビュヒナーがチフスで死亡したのは 1837 年 2 月 19 日である。いまだ 23 歳の青年であった。そしてその日から 4 日後の 2 月 23 日、ヴァイディヒは、長きに直ってゲオルギー以下当局の訊問と拷問とに責めたてられた結果、同日早朝ダルムシュタットの牢獄で、ガラス片で軽動脈を切り自死した。あるいはまた、軽動脈を切ったのち、当局が見て見ぬふりをしていたため死亡した、とでも表現しておこうか。いずれにせよヴァイディヒを死に追いやったのはヘッセン政府である。1837 年早春に、ヘッセンの叛乱指導者 2 名は亡くなった。これにより、ドイツ国内での注目すべき革命運動はひとまず消え去る。だが、それと時を同じくして、あるいはその後に、スイスとフランスで、ビュヒナーの志を受継ぐ革命家たちがドイツ解放を指向することになるのである。ビュヒナーが真剣にとらえた革命的カウンターパワーを、さらに大胆にかかげる人物が登場する。ブランキらの推進する秘密結社運動に同調するドイツ人亡命者、手工業職人中の一人、ヴィルヘルム・ヴァイトリングがその人である。

注

01　ゲーテ、永井博・味村登訳「滞仏陣中記」、『ゲーテ全集』第 12 巻、潮出版社、1979 年、147 頁。

02　以下の拙稿を参照。「フォースとヴァイオレンス――〔支配の暴力〕

と〔解放の抗力〕」、石塚正英『学問の使命と知の行動圏域』社会評論社、2019年、第7章、所収。次いで本書第3部第3章に再録している。

03　以下の拙稿を参照。「村瀬興雄教授のナチズム研究によせて」、石塚正英『歴史知と学問論』社会評論社、2007年、第7章、156頁以降。

04　ローレンツ・シュタイン、柴田隆行・石塚正英・石川三義訳『平等原理と社会主義――今日のフランスにおける社会主義と共産主義』法政大学出版局、1990年、参照。

05　レフ・トロツキー「蜂起の技術」、中村丈夫編『マルクス主義軍事論』鹿砦社、1976年、310頁。この証言は、実際、ブランキの真髄を復権させせるに足る内容である。

06　ドイツ三月革命が敗北に終わって直後、1851年3月、マルクスは以下の発言を為している。「彼ら（労働者－引用者）は、新たな公式の諸政府と並んで同時に独自の革命的労働者の諸政府を（中略）組織せねばならない」。「労働者は武装され組織されていなければならない」。「労働者は、自ら選出した指揮者と自ら選出した独自の参謀をもつ、独自のプロレタリア軍団（Garde）を組織して、国家権力でなく、労働者によって確立された革命的市町村議会の指揮下にはいるよう志さねばならない」。K. Marx/F. Engels, Ansprach der Zentralbehörde an den Bund vom März 1850, in: K. Marx/F. Engels, *Über Deutschland und die deutsche Arbeiterbewegung*, S. 601ff. 邦訳『マルクス・エンゲルス全集』第7巻、250-255頁。

07　コッツェブー（A.v.Kotzebue）の著書『ドイツ帝国史』はこの祝祭で焼き払われている。島崎晴哉『ドイツ労働運動史』青木書店、146頁参照。

08　ヴィルト（G.A.Wirth）のそうした活動は、しかし労働者運動にとって限界あるものとして批判されていく。たとえば、ヴァイトリングはこう述べている。「激昂の時に突入するや否や、ハムバッハの時のように、貴重な時間を無益な熱弁で空費してはならない。それどころか、人民が当初の熱狂の衝撃のもとにある間は、稲妻の如く迅速に行動されねばならず、稲妻のごとく迅速に、たてつづけに遂行されねばならない」。J.C. Bluntschli, *Die Kommunisten in der Scweiz, nach den bei Weitling vorgefundene Papieren*, Zürich, 1843, S.93.

09　伊東勉「ゲオルク・ビューヒナー」、『歴史評論』1957年8月号、114頁。

10　E. Schraepler, *Handwerkerbünde und Arbeitervereine, 1830-1853*, Berlin, 1972, S.29.

11　1833 年 6 月 30 日、連邦決議第 7 条、E. Schraepler, *ibid.*, S.29.

12　伊東、前掲書、22 頁。

13　Georg Büchner, *Werke und Briefe*, Gesamtausgabe, Insel-Verlag, Leipzig, 1968, S.389.

14　伊東、前掲書、24 頁参照。

15　Georg Büchner, *ibid.*, S.389.

16　フリードリヒ・ネルナー「訴訟記録に基づく解明。牧師フリートヴィヒ・ルートヴィヒ・ヴァイディヒ博士に対し大逆罪容疑で起こされた裁判手続き・・・」、ビュヒナー／ヴァイディヒ、森光昭訳『革命の通信──ヘッセンの急使』イザラ書房、104-105 頁。

17　Georg Büchner, *ibid.,* S.389.

18　H.M. エンツェンスベルガー「政治的コンテキスト 1834 年」、ビューヒナー／ヴァイディヒ、前掲書、57 頁。ビュヒナー「ヘッセンの急使（*Der Hessische Landbote*)」では、確かに「金持ち（der Reiche)」でなく「お偉方（der Herr)」が批判の対象となっている。後者は「君主、領主、主人」とかの意味を持ち、攻撃の矛先が旧来の支配者や漠然とした呼びかけに用いられる。対して前者は「富者、金持ち」など資産家や金融貴族に該当する。

19　ジェームズ・ジョル、萩原延寿訳『アナキスト』岩波書店、1979 年、16 頁。

20　1833 年 5 月 27 日、ビュヒナーから家族へ。Büchner, *ibid.*, S.390.

21　1833 年 6 月、ビュヒナーから家族へ。Büchner, *ibid.*, S.391.

22　1835 年、ビュヒナーからグツコウ（Guzkow）へ。Büchner, *ibid.*, S.418.

23　1835 年、ビュヒナーからグツコウへ。Büchner, *ibid.*, S.418.

24　G.Büchner ／ F.A.Weidig, *Der Hessische Landbote*, Büchner, *ibid.*, S.351-352.

25　手塚富雄他監修『ゲオルク・ビューヒナー全集』河出書房新社、622 頁、参照。

26　1835 年 7 月、ビュヒナーから弟ヴィルヘルムへ。Büchner, *ibid.*, S.418.

27　1836 年 5 月、ビュヒナーから家族へ。Büchner, *ibid.*, S.435-436.

28　ビュヒナー研究者ゴーロ・マン（Golo Mann）の見解を例として

挙げておく。「ビューヒナーは革命家であったと聞かされております。彼は本当にそうだったのでしょうか。一見したところ、『ヘッセンの急使』とか、2、3の手紙、あるいは伝えられているところの会話の断片などを見れば、そうです。再度すこし時をかけてれみれば、違います。ビューヒナーは実に心豊かで、感じ易く、皮肉で、もの知りで、ペシミスティック、神経症的、さらに生を楽しみ、自然を、山を森を楽しみ、形而上学的なものに傾く、そうした性格があまりに強いために、職業革命家でありつづけるには適していなかったのです。革命家は、彼のようにそう早くあきらめたりはしません。（中略）彼はただ反逆児であったのです」。ゴーロ・マン「ゲオルク・ビューヒナーと革命」、『ゲオルク・ビューヒナー全集』、559頁。

また、私なりにドイツ・リアリズム文学の先駆としてビュヒナーを論評する機会を得たことがある。以下の論文がその成果である。「カリカチュア風俗史家フックスとその時代」、石塚正英『身体知と感性知――アンサンブル』社会評論社、2014年、第1章、所収。

第2章　手工業職人ヴァイトリングの〔社会的デモクラシー〕

はじめに

社会思想史の文脈においてユートピアを問題にする場合、その意味合いにおよそ以下の2類型を確認できる。第一類型は目標・観念のレベルで、それはさらに以下の二つに区分できる。一つは理想（期待されつつも時期尚早・可能性に留まる）としてのユートピアで、いま一つは空想（期待されつつもリアリティ・アクチュアリティに欠ける）としてのユートピアである。第二類型は方法・実践のレベルで、それはさらに以下の二つに区分できる。一つは理論的なユートピア（思想家や宗教家が抱く）で、いま一つは行動的なユートピア（移住民や実践家が抱く）である。この区分方法でみると、本稿で採り上げる対象は、行動的なユートピアである。かつてエンゲルスが『空想から科学への社会主義の発展』(1880年）で述べたような空想的な種類でなく、むしろローレンツ・シュタインが『今日のフランスにおける社会主義と共産主義』(1842年）で区分した「一つの科学」「社会の科学、つまり社会主義」である（☆01)。

本稿で直接論じる19世紀ドイツの手工業職人ヴィルヘルム・ヴァイトリング (Wilhelm Weitling, 1808-71) は「社会的デモクラシー (Sozialdemokratie)」という術語を用いた。それは行動的であり、かつ理想的なユートピアの一つである。その意味を以下の本論において詳述する。なお、本稿を執筆するにあたり、いちいち注記を付さないものの、拙著『革命職人ヴァイトリング――コミューンからアソシエーションへ』（社会評論社、2016年）を主要な参考文献としている。

1．1848年革命の現実

1848年革命（三月革命）に先立つ時期を、ドイツ史上で「三月前(Vormärz)」と称する。その時期の革命家たちは、来たるべきドイツ革命は、部分的・政治的なものでなく、トータルな、社会的なものでなければならないという発想を抱いていた。彼らはみな、フランス的政治・社会情勢の高みに立って世界をながめようとしたからである。彼らの立つ頂からは、はるか下の方に封建ドイツが見おろせたのであった。だがドイツ革命の展望を考えるとき、手工業職人ヴァイトリングは、ドイツの現状を一気にフランス以上の高みにおしあげようとした。またヘーゲル左派からでてきた思想家モーゼス・ヘスは、ドイツとフランスの落差を十分洞察しえていたのだが、これをみじめなドイツが独力で登りつめることは不可能と結論し、イギリスに始まるヨーロッパ革命の一環として、ドイツをやはり一挙的に頂上までおしあげようとした。それに対し同じくヘーゲル左派からでてきたマルクスとエンゲルスは、ドイツの低地に降り立つことをもって、革命路線の出発点とした。

ヴァイトリングにとって不平等の延長、支配者の首のつけ換えでしかないブルジョア革命が、現実にドイツの直接課題であったことから、マルクスにとって、ドイツ解放の究極目標と段階的目標は区別すべきものとなってゆく。1843年当時、彼はけっしてそれを明言していない。そのころの彼は、何よりも総体的な革命が、政治的解放を越える人間的解放が気にかかっていた。ドイツ的みじめさは社会革命によってしか克服されないことを強調していた。だが、いまドイツが歩む客観的な方向に直接立ちはだかっているものはブルジョア革命であるという認識から、彼は、ドイツを一気にフランス以上の高みにおしあげようとするのは誤りだと結論する。そうした戦略展望は、エンゲルスとの協働によってしだいに強くなっていく。

しかし、1848年に革命が勃発して分かった事実として、ドイツ・ブルジョアジーによる民主主義の拒否がある。19世紀中頃からユンカーとともにドイツ社会の支配者に成長していくドイツ・ブルジョアジーは、19世紀前半から、自らの経済的利益を効率よく増大させるのに民主主義ほど邪魔なものはほかにないと考えていた。労働階層とでなくユンカーとの同盟を強化しようとする彼らにとって、フランス革命の理念「自由・平等」は百害あって一利なしであった。彼らは自由主義は望んだが、それはたぶんに自由保守主義(Liberaler Konservatismus)としてのそれであって、民主主義的なそれではなかったのである。だから、ドイツにおいて民主主義を求めた人々はブルジョアジーでなく、下位中産階層(小ブルジョアジー)、社会的属性からみれば小生産者・小所有者の中間諸層であった。それ故、彼らの求める民主主義は、言葉の表現上では見分けがつかないものの、その本質においてブルジョア民主主義とは大きく異なっていた。

けれども、革命勃発に先立ち、マルクスとエンゲルスは、1845年の『ドイツ・イデオロギー』から48年の『共産党宣言』にかけて、いわゆる科学的共産主義の諸理論を展開し、その中でヴァイトリング的な理念を木端微塵に粉砕していった。そして、来たるべきドイツ革命は、小生産者の理想実現のためでなく、近代賃金労働者の理想実現のために、民主主義のために闘われるべきとした。とんでもない勘違いであった。マルクス・エンゲルスによる一方的な期待に反して、1830年代40年代ヨーロッパ諸都市の手工業職人は、いまだ小生産者中心の社会、政治的平等と経済的平等とが分かち難く結合した社会、その結合こそが民主主義の内実であるような、そのような民主主義──本稿では「社会的デモクラシー」という──を備えた労働者社会を求めていた。

2. 人民統治の欺瞞

ヴァイトリングは社会的デモクラシーを考察にするにあたり、まずは共和主義者たちが好んで用いる「人民統治(Volksherrschaft)という言葉に、批判的な方向から概念規定を行う。

「人民統治とは何のことであろうか。——人民の統治、統治する人民のことである。この表現は往々あいまいであるから、それを望むままによびかえて差支えない。では人民とは何であるのか。——むろん言語・風俗・習慣によって結びついた社会の全構成員のことである。さて統治するとは何であるか。——統治するとは他者を自らの意思によって左右することである。この言葉についての、より適切な概念はまずおそらく想定しえないであろう。しかしこの点に関して、全人民が彼らを左右する統治者をもつことはあっても、彼ら自身が、すなわちこの法外な数の集団が一人の統治者だということはありえないと考える。…万人が万人を統治する、これは概念の混乱である。…『人民統治』の概念を適切とみるのであれば、万人もまた統治せねばならない。しかしこれはけっしてありえない。したがって、これもまたけっして人民の統治ではなく、少数者の人民に対する偶然的な統治なのである」(☆02)。

ヴァイトリングは、ブルジョア社会における人民統治が実は何を意味しているのか、ということを選挙のなかに見いだす。彼は多数決の原理を認めないし、投票によって選ばれた代表など人民の代表ではなく、したがって人民の統治の代表ではないという。圧倒的多数の人民は、投票の際その大半を死票にされてしまい、結局は少数派に転落してしまうのである。彼にとって人民統治も多数決の原理も富者のためのものである、財産共同体で採用すべきものではありえない。共同体では統治の欠如こそありうることなのである。共同体には政府などいらず、ただ管理機構があればそれでよいのである。というのも財産共同体では「支配するものはいっさい存在せず、わずかに管理するものが、すなわち全体の調和、万人の生産と交換が存在するだけである」から(☆03)。

ヴァイトリングが「人民統治」概念としてえがく右のような内容、すなわち万人が万人を統治するなどというのは概念の混乱であること、そして未来共同社会では統治一般が欠如するのだということ、これは「自由な人民国家」に対するエンゲルスの批評と類似している。

エンゲルスは1875年3月、ベーベル宛書簡で次のように記している。「自由な人民国家が自由国家にかえられています。文法的にいうと、自由国家とは、国家がその国民に対して自由であるような国家、したがって専制政府をもつ国家のことです。国家に関するこうしたおしゃべりは、いっさいやめるべきです。ことに、もはや本来の意味での国家ではなかったコンミューン以後は、なおさらそうです。プルードンを批判したマルクスの著作や、その後の『共産党宣言』が、社会主義的社会秩序が実現されるとともに、国家はおのずから解体し消滅する、とはっきりいっているにもかかわらず、我々は『人民国家』のことで、無政府主義者からあきあきするほど攻撃されてきました。けれども、国家は、闘争において、革命において、敵を暴力的に抑圧するために用いられる一時的な制度にすぎないのですから、自由な人民国家についてうんぬんするのは、まったくの無意味です。プロレタリアートがまだ国家を必要とするあいだは、プロレタリアートは、それを自由のためにではなく、その敵を抑圧するために必要とするのであって、自由について語り得るようになるやいなや、国家としての国家は存在しなくなります。だから、我々は、国家というかわりに、どこでも共同体〔ゲマインウェーゼン〕という言葉をつかうように提議したい。この言葉ば、フランス語の『コンミューン』に非常によくあてはまる、昔からのよいドイツ語です」(☆04)。

エンゲルスの言わんとすることは、階級なき社会にあってこそ国家＝統治の欠如を語れるし、自由について語れるが、いまだ労働者階級がブルジョアジーを支配する階級であれば、ブルジョア国家と同様、たとえそれが人民国家(Volksstaat)とよばれようが、そこは歴然とした国家＝統治が存在するのであり、自由を奪う手段が存在しているのだ、ということである。そういう段階での「自由な人民国家」観は、やはり概念の混乱なのである。ところで、エンゲルスがそのように述べたからといって、それはヴァイトリングの「人民統治」批判と完全に一致しているわけではない。もちろん両者とも究極において階級なき社会、統治の欠如を想定するからこそ、人民国家や人民統治の概念を明確にしようとするのである。しかしここでエンゲルスは、プロレタリアートが権力を奪取した際の労働者国家＝人民国家について論じているのであり、それをプロレタリア独裁国家として、未来社会への過渡期として弁護するために論じているのである。いっぽうヴァイトリングは、ブルジョアジーが権力の座にある市民国家＝人民国家について論じているのであって、それを少数金持階級の国家、破壊すべき国家として批判するために論じているのである。エンゲルスは、たとえプロレタリアートが国家をうちたてたからといって、即座に支配が消滅し、自由が出現するものではないという。だからその点を曖昧にするなというのである。ところでヴァイトリングは、たとえ市民、つまりブルジョアジーとプロレタリアートが国家の主人公のように宣言されたからといって、彼ら全体が統治にあずかるのではないという。さらにヴァイトリングは、来たるべき共同社会を〔統治の欠如〕の状態とみるから、「人民統治」などということはどのような段階にもありえないと考える。同じようにエンゲルスもまた、来たるべき共同社会を〔統治の欠如〕の状態とみるから、「自由な人民国家」などということはどのような段階にもありえないと考える。論ずる対象と目的とを異にしていたにせよ、以上の観点からみるかぎり、両者のいわんとすることは一致している。

けれども、エンゲルスとヴァイトリングの間で、見過ごすことのできない概念区別がある。エンゲルスにおいて、民主主義はキヴィタス（ポリス）に始まる。プロレタリアート独裁国家にあろうともポリティカルなのがデモクラシーの特徴である。それに対して、ヴァイトリングの民主主義はソキエタス（コムニタス）に始まる。古今を通じてソーシャルなのがデモクラシーの特徴である。彼のタームで言う「社会的デモクラシー（Sozialdemokratie）」、それは議会制民主主義に包摂される20世紀の社会民主主義（Sozialdemokratie, Social democracy）とは、同名ながら別物であって、混同してはならない。

ところで、19世紀社会主義が求めた理想的な社会は、ソキエタスすなわち政治のない社会である。18世紀以前から持ち越された中世村落共同体、農奴的貧困の共同、キリスト教的精神の共同たるコムニタス・コムニオは、近代に至って、一方ではロック的理念すなわち服従契約社会、擬制的共同社会、個人的市民社会、市民的政治社会たるキヴィタスへと完全に解消していった。だが他方では、いったんルソー的理念すなわち個と全体とにかかわる結合契約的協同、立法者と人民とにかかわる人民主権的社会たるキヴィタスへと分解しつつも、そうであるがゆえにやがてプルードンが唱えることになる〔アナルシ（統治の欠如）〕的理念、すなわち全体（主権者たる人民＝一般意志）と個（国家の構成員たる人民）との間の同意であるルソー的結合契約を超える、同格の二者の間、個と個との契約たる水平契約に基づく協同つまりソキエタスへと転化していったのである。ヴァイトリングの社会的デモクラシーは、1848年革命後の移住先アメリカで、そのプルードンの〔アナルシ（統治の欠如）〕と接点を持つことによって、実践の場を獲得するにいたる。

3．ヴァイトリングのユートピア実践

1850年代に入ると、ヴァイトリングは移住先のアメリカ合衆国で週刊の『労働者共和国（*Republik der Arbeiter*）』を創刊した。当時、合衆国々内では、大陸の東から西へと向かう移住運動、いわゆる西漸運動が空前のピークにさしかかっていた。西漸運動それ自体は植民地時代からみられた。西部未開拓地の獲得を目指して、また東部での宗教的・社会的差別からの解放を目指して、ほとんど個々の家族単位で、人々はこの移住運動に加わったのである。ところが、1846～48年のアメリカ・メキシコ戦争と、これによるアメリカのカリフォルニア占領、さらにはその新領土カリフォルニアにおける金鉱発見という事態をむかえると、西漸運

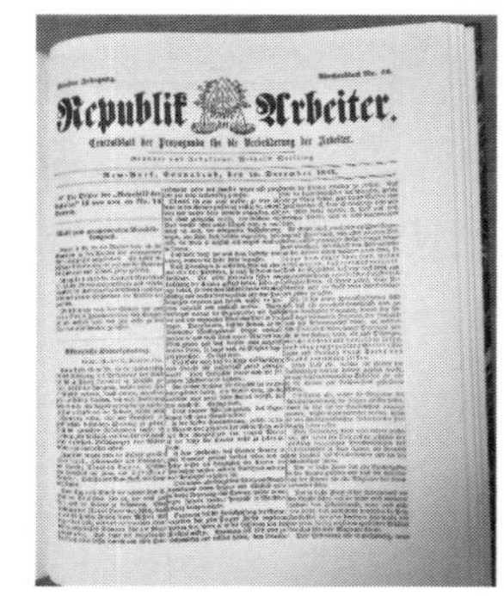

Republik der Arbeiter.

動は、いわゆるゴールド・ラッシュと称され、人々の移動は特別に激しさを増した。彼らは一括して〝49年の人々(Forty-Niners)〟と称された。また同じ頃、1848年革命に敗北してドイツから合衆国に移住してきた人々──彼らは一括して〝48年の人々(Forty-Eighters)〟と称された──の一部も、Forty-Ninersの仲間となった。

北アメリカにおける〝49年の人々(Forty-Niners)〟による激しい人口移動、人口増加の動きを観察していた合衆国の産業資本家たちの一部は、それまで東部を中心に部分的にしか敷設されていなかった鉄道網を整備・拡張し、別の乗物への乗り換えや長期の待ちあわせなしに、大西洋岸から一挙に太平洋岸へと大陸を横断できる幹線建設に投資欲を燃やし始めた。だが、資本家たちがその計画を煮詰めて実現させるには、結果として約20年ほどかかった(1869年開通)。当時、それほどに達成困難な、大規模な建設事業であった大陸横断鉄道敷設を、資本家たちの見積りよりもっと短期間に、経済的・合理的に成就させようという宣伝が、1850年4月に、ニューヨークで、労働者側の発案として発表された。そのオーガナイザーこそ、ヴァイトリングであった。『労働者共和国』1850年4月号に、「太平洋への鉄道(Die Eisenbahn nach dem stillen Meere)」と題する記事を載せ、在アメリカ・ドイツ人労働者に、次のよびかけを行なった。

「資本家たちは、この鉄道について一億ドルの予算額を見積っている。彼らは、信用による国費支払でそれだけの金額を彼らに用だてるよう、またそのほか幅30イギリス・マイル、全長2000マイルの鉄道用敷地をも用立てるよう、国に要求している。(中略)もし国が──資本家たちが要求しているように──技術者を提供してくれて、全長2000マイル、幅30マイルの敷地を譲ってくれて、またさしあたり一日10,000ドルを、また鉄道完成後に残りの額を払い渡してもらい、あらゆる必要資料を供給してくれるならば、我々はこの鉄道建設を2ヶ年で完成させよう」(☆05)。

ヴァイトリングは、東部資本家たちの〝資本主義的〟な横断鉄道建設計画に対し〝労働者的〟に対抗すべく、まずは在アメリカ・ドイツ人労働者を中心にした大衆的な発企集会を開こうと計画する。これは1850年10月22日〜28日に、フィラデルフィアで開催され、セント・ルイス、ルイビル、ボルチモア、ピッツバーグ、フィラデルフィア、ニューヨーク、バッファロー、ウィリアムズバーク、ニューアーク、そしてシンシナティから、各々の地域に存在する労働者団体代表が集合した。ヴァイトリングが〝第一回ドイツ・アメリカ労働者会議〟と名づけたこの集会には、総計4,400名の労働者が間接的に参加し、寄せられた資金の総額は19,071ドルとなった(☆06)。だが、このような勢力と資力とでは、とても鉄道建設を具体化しえず、そこからヴァイトリングは、もっと恒常的な運動を維持し強化するため、労働組合ともつかぬ、また救済金庫ともつかぬ、政治結社ともつかない、しかしそれらすべての機能を満足させ得るような労働者団体の創設を考える。果たせるかな、この腹案は、1852年5月1日にようやく実現し、ヴァイトリングはこの新組織を「労働者同盟(Arbeiterbund)」と命名した。以後彼は、この組織を基盤として、一つに、鉄道建設に象徴される労働者協同事業——ヴァイトリングが〝労働者友愛会〟と称するもの——の企画、一つに、労働者銀行=交換銀行の設立、一つに、両者を軸として成立する労働者の自立圏=コロニー建設を推し進めることになるのであった。

だが、そのような自主管理的社会主義の構想は、太平洋への鉄道建設計画がほとんど実行に移され得なかったことによって、挫折する。1850年段階で一時的に周囲の支持を得たものの、鉄道建設という、最大多数の労働者に就労のチャンスを与えはするものの一挙に巨大資本が必要となってくる企画は、数千からせいぜい10,000人程度の移住労働者たちには、手に剰る代物であった。発想それ自体は19世紀中頃のアメリカ社会にしっかりと存在根拠を得たものであったが、具体化に向けての基盤づくりには、脆く失敗したのであった(☆07)。

そこでヴァイトリングは、鉄道建設に代えて、より手近かな、ある意味でより現実的な企画である〝コロニー建設〟へと、活動の軸を移動させていく。1853年10月8日付『労働者共和国』第41号に、「コロニー建設」という論説を揚げ、その中でこの事業に対する「交換銀行の導入」を宣伝している（☆08)。この点は、特にオウエン派、カベ派等のコロニー建設とヴァイトリングのそれとを区別する、重要な要のひとつである。すなわち、ヴァイトリングのコロニー建設案は、これと交換銀行とが結びつくことによって、新たな、労働者解放にとってきわめてユニークな手段に組み換えられたのである。こうした一連のアソシエーション運動を、本稿ではヴァイトリングの〔ユートピア実践〕と称しておきたい。

ところで、渡米後、ヴァイトリングは同時代フランスの思想家・実践家ジョゼフ・プルードンのアソシアシオン論に強く影響を受けた。また、そのプルードンは、同郷の先輩思想家シャルル・フーリエの影響を受けた。そこで、次節では、フーリエのアソシアシオン論を、サン・シモンの理論との比較において検討することで、本稿のキー概念である〔ユートピア実践〕の内実を確定してみたい。

4．サン・シモン型とフーリエ型のユートピア実践

フランス革命後、19 世紀に入ってからの資本主義の発展過程で、旧来の生産者階層であったサン・キュロットと並んで、新たな形態の労働者、近代工場労働者（賃金労働者）の一群も形成され始め、ここに、労働者階級が、生産手段を所有せずたんに自らの労働力を売って生活するのみの階級として登場してきた。この新たな形態の労働者たちは、当分のあいだ、旧来のサン・キュロットたちと肩を並べ、或る時には残存する貴族階層──特権はもはや奪われていたが広大な領土を私有地化し、地主となって生き残っていた部分──に対し、また或る時は工場主に対して自らの経済的、および政治的要求を突きつけていくのであった。

ところで、フランス社会の階級構成がこのように〈資本家 - 賃労働者〉の対立関係に変化し出すと、それに並行して、被支配者である労働者の利益を擁護し、あるいは、資本家のためでなく労働者のための

国家建設を目指す思想が形成されるようになった。そのような潮流の代表的な思想家としてサン・シモンおよびフーリエが挙げられる。

サン・シモン(1760-1825)は、パリに生まれ、貴族の出身であったにもかかわらず、若くしてアメリカ独立戦争に参加した。帰国後フランス国内を旅行し、その間に、社会悪の根原が財産所有の不平等と貧困にあると判断し、新しい社会の建設を主張し始めた。彼は未だ労資の対立というものをさほど意識せず、大きく働く者と働かない者、利益をもたらす者とそれに寄生する者の2階級に分類を行なう。その際、前者は産業者と称し、農民、職人などの勤労層に加え、商人、銀行家、資本家、科学者もこれに含まれる。また後者は有閑者と称し、地主、貴族、大金持、軍人などがこれに含まれる。サン・シモンによれば新しい社会は、前者が後者に代わって政権を担当し、産業者が自由に活動できるような社会である。そこでは、従来のような民衆を支配する道具としての国家は消滅し、産業者による富の生産とその自主管理をコントロールするような機関が残されるのみである。だが彼は、こうした新たな社会を導く手段としては、革命的な方法でなく、産業の指導者(科学者、技術者など)の改革に期待を寄せた。

次にシャルル・フーリエ(1772-1837)が登場する。彼は豊かな商人の家に生まれ、自らもフランス革命期に貿易商として活動を開始したが、まもなく破産に追い込まれた。その後王政復古期にも商業活動を再開して、またもや失敗した。そこからやがて商業に対する批判が始まり、ついに資本主義の批判へと突き進む。フーリエは、秩序なき産業と不平等な財産所有に基づいた資本主義社会では悪徳しか栄えないとし、これに代えて、ファランジュ(Phalange)と称する一種の共同社会を建設するよう説く。この理想社会では、生産的余剰は一定の比率によって各構成員に配分され、したがって私的所有は廃されず、またその構成員は、サン・シモンの産業社会の場合と違って、小所有者、職人など旧来の生産者である。これら小生産者の分業と協業とによって生産力を高め、人間の諸情念を解放し、物心両面において実り豊かな社会を実現することが、フーリエの理想であった。

ところで、サン・シモンとフーリエとでは、たとえば所有権存続の問題などで本質的に異なる要素を含んではいたものの、国家＝政府を放棄している点で共通していた。のちにマルクスが究極の社会像として提起する協同社会（アソツィアツィオーン）は、このサン・シモンやフーリエのそれと一致する。しかしサン・シモン（派）の産業主義は、ルソー的なアソシアシオンの系譜において、いまだキヴィタス的片鱗が付着していた。ルソー→サン・シモン（派）→マルクスの系譜上に浮上してくるアソシアシオンでは、全体のイメージが個のイメージにまさっており、「個人性の本格的展開」は不発に終わる可能性が強い。陰謀は権力に対してではなく、大衆に対してめぐらされてしまう可能性が大きい。いま仮に、これをコミューン型社会主義としておく。それに対し、ルソー→フーリエ→プルードンの系譜上に浮上してくるアソシアシオンでは、個と全体の結合から個と個の結合、すなわち全体のイメージよりも個のイメージがまさっている結合形態への変化がみられるだけに、「個人性の本格的展開」はいっそう容易となる。いま仮にこれをアソシアシオン型社会主義としておく。

ところで20世紀社会主義は、実のところ全体のイメージが強いコミューン型社会主義を実践したのだといえる。ソヴェトを有名無実化したソ連共産党はその象徴である。よって、すでに21世紀を生きている我々は、こんどは個のイメージの強いアソシアシオン型社会主義を実践すべきなのである。そのための第一の作業としてジャン＝ジャック・ルソーに立ち帰り、そのルソーからフーリエ、プルードンへと一つの系譜をたどりつつ、社会主義理論の洗い直しをせねばならない。しかし、今の我々にとって、思想の洗い直し以上に重要なこととして、実践の掘り起こしがある。19世紀社会主義をたんに著作の中だけでなく、顧みられなくなって久しい運動・実践の追認識の中に、いまこそ捉え直さなくてはならない。そして、そのような実践的社会主義者、アソシアシオン型社会主義の実践者の一人として再検討を求められる人物が、アメリカに渡ってからのヴァイトリングである。19世紀の欧米をまたにかけて活躍したこの社会主義者の思想と行動には、ルソー、サン・シモン、フーリエ、オウエン、ブランキ、マルクス、そしてプルードンなど、すべての諸思想が影響を及ぼしている。また、ヴァイトリングの実践に多大な影響を受けた革命家にミハイル・バクーニンがいる。

よって我々としては、20世紀社会主義＝コミューン型社会主義を準備した思想家すなわちマルクスとエンゲルスを、こんどはフーリエ、プルードンらアソシアシオン型社会主義を理論化した思想家たちと連合させ、21世紀社会主義をアソシアシオン型社会主義として実現すべきなのである。そして、この過程でコミューン型社会主義者マルクスというイメージをアソシアシオン型社会主義者マルクスの実像に転換させることが肝要である。それは、とりもなおさず、19世紀アメリカで『労働者共和国』を編集しつつ社会的デモクラシーを唱え、交換銀行と労働者協同企業の設立に尽力したヴァイトリングの実践を、我々が21世紀に引き継ぐことにもなるのである。

5.〔労働者共和国〕の歴史的意義

本稿「はじめに」で、ユートピアをおよそ以下の二類型に区分した。第一類型は目標・観念のレベルで、これをさらに理想としてのユートピアと空想としてのユートピアに細分した。また第二類型は方法・実践のレベルで、これをさらに理論的なユートピアと行動的なユートピアに細分した。そのうえで、本稿で採り上げるヴァイトリングの場合は行動的なユートピアである、としておいた。それは第二類型にかかわる。第一類型については、理想的なユートピアとしておいた。行論で明らかなように、期待されつつも時期尚早、というより、労働者共和国アメリカでの現実有効性をもった運動だったと評価していいのである。ただし、その根拠をいま少しはっきり示すには、「労働者共和国」に注記を施す必要がある。

南北戦争勃発の11年前、ニューヨークのヴァイトリングは、『労働者共和国』1850年10月号で、合衆国内における黒人奴隷の扱いを批判して、奴隷制度は合衆国憲法に法的な根拠をもっていないし、奴隷州は連邦からの分離を考えている、と述べた（☆09)。1850年代を通じて、48年革命人の多くがヴァイトリングと同じような疑問を抱きつつ奴隷制反対を主張していたのであるが、そうした48年革命人にとって1850年代のアメリカは、依然として小農や職人など小生産者の国であり続けた。並の人（コモン・マン）には、独立以前からの植民地人民と独立後にヨーロッパから移住してきた人々だけでなく、独立以前から植民地で奴隷として売買され重労働を強いられてきた黒人たちも加わるべきだ、と考えたのだった。

その発想は、ヴァイトリングが機関紙のタイトルとして強調する〔労働者共和国アメリカ〕という概念に一致するものだった。総じて、48年革命人にとってのアメリカとは、現在我々がイメージするようなアメリカではなかった。南北戦争以前のアメリカは、例えばヘンリー・ディヴィッド・ソローの次の言葉に象徴されている。

「私は、『最もいい政府は支配することの最も少ない政府である』という標語を、心から受入れ、それが速やかに又組織的に実行されるのを見たいと願うものである。それが実行される暁には、これも私の信ずる標語であるが、『いちばんいい政府とは、全然支配をしないものであると』いうことになる」（☆10)。

ヴァイトリングは、1853年『労働者共和国』第16号（4月16日付）から第28号（7月9日付）にかけて、カール・マルクスの同士ヨーゼフ・ヴァイデマイヤーと彼のグループの動向を批判的に紹介した。その際ヴァイトリングが批判の対象にしたものは、ヴァイデマイヤー派は合衆国社会にヨーロッパ同様、資本家階級対労働者階級の2階級対立をあてはめ、マルクスにならってアメリカ労働者階級による階級闘争を考えていたことである（☆11)。ようするに、ヴァイデマイヤー派を政治革命主義者として批判したのだった。これに対しヴァイトリングは、労働者政権樹立を目指す意味での階級闘争を構想せず、むしろ労働者協同企業と交換銀行による労働者のアソシエーション的自立的経済圏の拡大を狙っていたのである。

その最大の企画は、ヴァイトリングの企画で成立した「労働者友愛会」(労働者協同企業) による、太平洋岸への大陸横断鉄道建設である。こちらの企画、つまり鉄道建設を通じての労働者自主管理企業の設立と拡大の方こそ、当時の在アメリカ・ドイツ人労働者にはなじみやすいものだった。48 年革命人の一人、カッセル近郊ナウムブルク生まれで 1849 年ニューヨーク港に着いたユリウス・ビーンは 、印刷技術を身につけていたため、「その技術を政府に提供し、陸軍長官ジェファソン・ディヴィスは、太平洋への大陸横断鉄道に必要な幾つかの地図の準備をビーンに委託した」(☆ 12)。

6．交換銀行論の系譜――プルードン・ヴァイトリング・ゲゼル

前節までで私は、ルソー→フーリエ→プルードンの系譜上に浮上してくるアソシアシオンに言及し、ヴァイトリングは労働者政権樹立を目指す意味での階級闘争を構想せず、むしろ労働者協同企業と交換銀行による労働者のアソシエーション的自立的経済圏の拡大を狙っていた、と記した。そこで、本節ではアメリカ時代におけるヴァイトリングの思想と行動に深く影響したプルードンを軸に、交換銀行の系譜を概述する。

19 世紀の社会主義者プルードンと、間接的ながら彼に学んだヴァイトリングは、ともに貨幣の廃止を説いた。ただし、二人とも一気に貨幣を廃止しようとはせず、まずは貨幣に備わる二つの役割――交換と蓄財――のうち、蓄財を否定して交換のみに役割を限定しようとした。それを目的にしてプルードンもヴァイトリングも、第一に貴金属貨幣を排除して労働紙幣を発行する無償信用 (無利子) の銀行を設立しようと考えた。交換銀行ないし為替銀行である。またアメリカ移住後 (1850s) のヴァイトリングは、労働者の協同組合 (Association) を設立して交換銀行と連動させつつ、両者を基盤にして大陸横断鉄道建設を目指した。

彼らは、資本家による労働者搾取の根原を流通における貨幣 (金銀)

の支配に見いだして、その力を削ぐのに無償信用を介した物品やサービスの謂わば物々交換を提唱した。ヴァイトリングは言う。「物品が必要な各加入者は、この品物に対して支払わねばならない金額の代わりに、彼の営業でつくった生産物から当該額にみあう負担分を（交換銀行に）引き渡すようにする。パン屋は、ある信用貸付け金額を請求するに際し、それと同価値量のパン等を代わりに提出する」（☆13）。

貨幣に備わる蓄財機能の撤廃を目指す運動は、やがて20世紀に入ってドイツ人シルビオ・ゲゼル（1862-1930）に引き継がれた。24歳のときアルゼンチンに移住し実業家として成功したゲゼルは、1900年にスイスに移り、そこで主著『自然的経済秩序』を起草した。1919年にはバイエルンの臨時革命政府で財務担当人民委員（大蔵大臣）に就任したが、晩年はベルリン郊外のエデンに隠棲した。

そのゲゼルは、1916年ベルリンにおける講演「金と平和？」で次のように語った。「流通するあらゆるお金は貯蓄金庫からやってきて、利子の先取りのほうを交換手段としての働きよりも優先させるのだ。交換の手段と貯蓄の手段という、貨幣のこの二つの機能は矛盾をはらでいる。それは自然に反している。それは交換手段の使い方の一つの乱用である」。「労働によらぬ収入を抑制し、労働によって得られた生産物すべてへの権利を確立すること。それが、平和のためのこの運動にとって実現すべき条件である。そこでまずなされるべきことは、金貨の廃棄であり、科学的原理によって管理された紙幣をもって代えることである」（☆14）。

ゲゼルはプルードンに多くを学んでいる。彼は交換銀行の設立は説かなかったが、〔減価する貨幣〕〔錆付く貨幣〕のキーワードに象徴される貨幣理論を説いた。生産物は時の経過とともに減価していくが、貨幣（額面）だけはそうならない。額面どおりにいつまでも保有することができる。いや、銀行に預ければ利子を産み続ける。個々人の金庫に備蓄された貨幣は投機に使われていることになる。そこでゲゼルは、貨幣所有者に対して貨幣維持費を支払わせる算段をした。ゲゼルの提唱する貨幣＝自由貨幣は毎週額面の千分の一だけ減価する。額面どおりに維持するためには毎週印紙（スタンプ）を別途に購入して貨幣＝紙幣に貼らなければならない。こうすることで、貨幣所有者は蓄財によって利子を得ることが困難になり、貨幣はつねに流通に投入されてその速度が高まることになる。

ゲゼルはなるほど交換銀行を構想せず、バイエルン臨時政府のような国家において貨幣政策を構想したものの、しかし彼はそのような貨幣理論をプルードンから学んだのである。こうして見てくると、19世紀後半アメリカにプルードン思想を紹介しつつ自らも交換銀行とアソシアシオンとを結合させた鉄道建設プロジェクト認可を連邦政府に申請しようとしたヴァイトリング、そして20世紀初に第一次大戦前後のドイツでプルードン思想に依拠しつつ〔減価する貨幣〕論を説いたゲゼルは、どこかでプルードンを介して繋がっているように思える。ともにアナキストとしてよりも、今日流行の地域貨幣論の先駆者として再評価していいのではなかろうかと思われる。この理論はマネーレス社会を追究するものであるから、電子マネー・デジタル通貨の力が途轍もなく肥大化して、巨大企業群のGAFAが全世界の経済を牛耳っている今日において、むしろ声を大にして叫びたい。

むすび

1848年革命敗北を機にアメリカへ渡った人々の多くは、ヨーロッパでついに果たせなかった、労働者の経済的・社会的自立という夢をこんどこそ叶えようと努力した。彼らにとってアメリカとは、政治的な意味で自由な国である以上に、社会的な意味で自由な国だった。ヴァイトリングの言葉を用いるならば、社会的デモクラシーの実現可能な国に思えた。そのような可能性にかけた社会的実践はけっして机上の理論、空想でなく、行動に支えられた理想なのである。この意味で、ヴァイトリングはたしかにユートピアの実践者だった。ユートピアなき世界をデストピアという。デストピアに陥らないために、ユートピアの実践は永遠に必要なのだろう。

注

01　ローレンツ・シュタイン、石川三義・石塚正英・柴田隆行共訳『平等原理と社会主義——今日のフランスにおける社会主義と共産主義』法政大学出版局、1990年、164-165頁。

02　W.Weitling, Die Regierungsform unsers Prinzips, in: *Junge Generation*, 1841-43, Zentralantiguariat der DDR. Leipzig, 1972, S. 87f, S. 91.

03　*ibid.*

04　マルクス,エンゲルス、マルクス=エンゲルス選集刊行委員会訳『ゴータ綱領批判・エルフルト綱領批判』大月書店(国民文庫)、1963年、73-74頁。

05　(W. Weitling,) Die Eisenbahn nach dem stillen Meere, in: *Republik der Arbeiter*(以下*RdA*と略記)1850-54. 1-5Jg. Nachdruck Topos Verlag,Liechtenstein, 1979, 4, 1850. 1Jg. S.58f.

06　Vgl. H. Schlüter, *Die Anfänge der deutschen Arbeiterbewegung in Amerika*, Stuttgart 1907, S.83f.

07　とはいえ、大陸横断鉄道の構想は、この時点で完全に潰え去ったわけではない。例えば『労働者共和国』1853年8月27日号には、「人民の断乎たる改革意識」と題したL・Aの署名のある論説において、再び太平洋鉄道の企画として「政府、資本、それに人民」の三者競争の可能性が述べられている。また資金の融資をめぐる政府への人民コンタクトの見込みについて語られている。Vgl. *RdA*, 27. 8. 1853 4Jg. Nr. 35. S.279.

因みに、社会主義者によるこうした大土木事業計画は、ヨーロッパにも例がある。それは、サン・シモン主義者によるスエズ運河建設の発案である。またサン・シモン主義者は、アルジェリア植民事業や鉄道建設等にも乗り出している。ただし、こうした彼らの活動には、その財政的パトロンとしてロスチャイルド、ラフィット、オタンゲ等の協力があった。その点、ヴァイトリングの方式は労働者企業としてはるかに潔癖であった。なお、以上のサン・シモン主義者の活動については、見市雅俊「サン・シモン主義の社会観と実践——正統的サン・シモン主義アンファンタン」『思想』第620号、1976年2月号をみよ。

08　Vgl. (W. Weitling,) Die Konstitution der Kolinie, in: *RdA*. 8. 10. 1853,

4Jg. Nr. 41. SS. 323-325.

09 *RdA*, 1Jg. 1850. 10, S.149.

10 H・D・ソロー「市民としての反抗」から、アメリカ学会訳編『原典アメリカ史』第3巻、岩波書店、1953年、363頁。

11 マルクス自身はアメリカの特殊な事情を読んで、1851年ヴァイデマイヤーに手紙で注意を促している。石塚正英『革命職人ヴァイトリング――コミューンからアソシエーションへ』社会評論社、2016年、485-486頁、参照。

12 A. E. Zucker, Biographical Dictionary of the Forty-Eighters, in: ed. by A. E, Zucker, *The Forty-Eighters. Political refugees of the German Revolution of 1848*, New-York, 1950, p. 279. ツッカー編、石塚正英/石塚幸太郎訳『アメリカのドイツ人――1848年の人々・人名辞典』北樹出版、2004年、29～30頁。

13 (W. Weitling,) Zwei Tauschbank, in: *RdA*. 20. 5. 1854, 5Jg. Nr. 21. S. 165f.

14 シルビオ・ゲゼル「金と平和?――1916年4月28日、ベルリンにおける講演」、ゲゼル研究会編『自由経済研究』ぱる出版、第7号、1996年、20頁、29頁。

第３章　フォースとヴァイオレンス
――〔支配の暴力〕と〔解放の抗力〕

1.　２種の強力――抑圧する暴力とそれを跳ね返す抗力

タイトルにあるフォース（force）とヴァイオレンス（violence）について、私はすでに第３部第１章で解説をしている。例えば植民地解放戦争は、植民地民衆にとって支配の暴力＝フォースを挫く解放の抗力＝ヴァイオレンスである。一般に殺人は、個人のレベルでみると暴力だが、国際法を順守した戦争における戦闘員殺害は告発されないし、死刑を認めている国々での処刑殺人は暴力とみなされない。ウクライナに侵攻してくるプーチンのロシア軍に対抗するウクライナ市民の非合法ゲリラやレジスタンスは、彼らにはけっして違反行為ではない。歴史奪回的な、民族自決的な権利の行使なのだ。専制国家の〔不当な暴力〕＝フォースに抵抗する〔正当な抗力〕＝ヴァイオレンスである。

ところで、支配の暴力を〔不当な暴力〕＝フォースとし、それを跳ね返す抗力を〔正当な抗力〕＝ヴァイオレンスと区別したとして、後者において、核爆弾は使えるだろうか。断じて使えはしない。非戦闘員殺害どころか人類滅亡をもたらす可能性がある武器は正当な抗力ではありえない。カハネ主義に例をみるユダヤ至上主義やイスラム国に例をみるイスラム至上主義、旧ユーゴスラヴィアに例をみる民族浄化の軍事攻撃なども〔正当な抗力〕＝ヴァイオレンスではありえない。お前たちが住む地は元来わが民族固有の地であり、占領者・侵略者は出て行け、という強力の行使は概ね支配の暴力＝〔不当な暴力〕＝フォースに結果する。

あるいはまた、ヴァイオレンスは国家を樹立できるだろうか。国家は大なり小なり支配に関係するので、リンカーンに由来する「人民の人民による人民のための政府（The Government of the People by the People for the People)」であろうとも樹立できないのである。暴力も抗力も強力（power）に相違ないが、抗力は永久的な権力と矛盾する。もし国家として永久権力を樹立したならば、それは自己否定である。抗力は永久化しだすと、暴力に変質していく。その好例を、私たちはロシア革命に見いだしている。

ロシア革命の時代、ロマノフ朝に対して革命勢力が軍事力学上の勝利を収めて成功したとき、レーニンは、ソヴェト（Совет 労働者・農民・兵士による評議会）とボルシェヴィキ（Большевики「多数派」を意味する語で、ロシア社会民主労働党の左派）との関係をどのように捉えていただろうか。知られている標語によれば「すべての権力をソヴェトへ！」ということであるから、ボルシェヴィキ（革命党）はソヴェト（評議会）に従属し、ゆくゆく前者は解消することになるはずだった。しかし、ロシア革命を成功させるのに功労のあった抵抗勢力の指導者たちは、けっきょく、ソヴェトにおいて党を残存させて、永久に支配権を保持できる暴力状態を選択した。抵抗勢力の象徴であったボルシェヴィキは、軍事上の勝利を収めたのちは解体するべきだったのだが、以後は指導者集団が国家支配集団と化してしまった。暫定的なはずの〔革命権力〕は恒久的な〔国家暴力〕に変質した（★参考 石塚正英『ソキエタスの方へ――政党の廃絶とアソシアシオンの展望』社会評論社、1999年）。

1960年代、植民地解放運動が盛り上がったアフリカにおいて、宗主国の〔不当な暴力〕を拒否し、アフリカ革命を旗印に〔正当な抗力〕を掲げた人物に、ギニアビサウ解放指導者アミルカル・カブラル（Amílcar Cabral,1924-73）がいる。彼は、ユーロ・アメリカン・スタンダードとしての近代を早くから拒絶していた。彼は、宗主国ポルトガルからギニアビサウの独立を勝ち取るに際して、指導理念として「文化による抵抗」を掲げた。1959年8月3日、首都ビサウのピジギチドック港湾労働者が待遇改善の平和的なデモやストを行ったが、ポルトガル官憲は武力弾圧でこれに応えた。「ピジギチの虐殺」である。以後、カブラルは抵抗の武装を開始するが、基軸は武器(鉄砲)よりも文化(鍬と筆)だった。

カブラルにとって文化は、アフリカ人民のアイデンティティーとディグニティーに深くかかわる。それは闘争によって生まれ、また闘争そのものを牽引していく。カブラルは諸民族の「文化の差異」に注目する。その度合いが大きければ大きいほど、一民族が他民族を征服・支配しにくくなるというのである。したがってまた、その差異が大きいほど、抑圧者に対する被抑圧者の抵抗運動=闘争は強力となる。欧米に対して軍事的に勝利する前提条件として文化的抵抗があったのである。その限りで、彼はギニアビサウの民衆に武器を持たせた。最初は森の祠のフェティシュ(呪物)が武器だったりした。それは文化的抵抗の一証拠だった。武器をフェティシュから機関銃に変えていったのだが、戦士たちには機関銃は近代兵器というよりも、当初は威力抜群のフェティシュだったのである。それを欠いたのでは、敵を倒す弾丸で自らをも倒してしまうのだった。まぎれもなく、文化が抵抗の武器=〔正当な抗力〕だった。戦いの中で識字率をあげていき、多くは農村出身で文字の読めないポルトガル兵捕虜を驚かせたのである(★参考 石塚正英『文化による抵抗――アミルカル・カブラルの思想』柘植書房、1992年)。

2. 暴力=軍事が牛耳る戦争と平和

国家が暴力を振るう事態は、死刑制度を許容し条件次第で殺人を合法化している日本も同じである。1989年12月に国連総会で死刑廃止条約が可決され、1991年7月に10カ国の批准が得られて発効した。その第一条には、次のようにある。「この選択議定書の締約国の管轄下においては、何人も死刑に処せられることはない」。批准10カ国は、オーストリア、フィンランド、東ドイツ、アイスランド、オランダ、ニュージーランド、ポルトガル、ルーマニア、スペイン、スウェーデンだった。日本は批准に参加していない。日本の歴代法務大臣は、任期中は死刑執行にサインしたくないと思ってきたようであるが、政府の見解としては死刑存続を堅持しているのだ。そのような国家は、死刑制度を廃止した国家からは暴力国家とみなされてもしかたなかろうに。

死刑制度存続の妥当性というか根拠の筆頭は、抑止力理論である。理想としては廃止したいが、現在もなお凶悪犯罪が根絶されていない以上、これを抑止する目的で死刑は存続させねばならない。もしこれを廃止すれば一般国民の感情はいっそう不安に悩まされるだろう。日本政府はこの立場にたっており、上記の条約は批准していないのだ。

抑止力の効果は限定的であって、常に力を増強しなければ功を奏しないことは、軍事面において、19世紀後半のヨーロッパ世界に登場したドイツのビスマルクが、とうの昔に証明している。ドイツ統一を実現したあと、ビスマルクは、かつての鉄血政策とうってかわって、ヨーロッパ外交上で武力による平和状態（バランス・オブ・パワー）を維持しようと列強間の利害調停を繰り返す。イギリスとの間で生じた建艦競争が好例である。歴史上 Anglo-German naval arms race と称している。結局は自国の軍事力増強を図る時間稼ぎだった。国防上の観点から軍備拡張をする場合、敵国以上の戦力を持たなければ抑止力たりえないわけなので、国防に名を借りた紛れもない軍拡で、国家暴力の増強・暴走である。トランプ米大統領は2018年10月20日、中距離核戦力（INF）全廃条約から離脱する方針を表明し、ロシアと中国の核兵器開発に対抗してアメリカも核兵器で軍備拡張すると宣言し、ロシアのプーチン大統領は2019年2月2日、同条約の履行停止を宣言したが、これも抑止力増強の一例である。

そのような事例は、現在の日本でも生じている。20世紀後半の国際社会は、国際法（トランスナショナルな力）に依拠した国連中心の集団安全保障によって紛争を解決し平和を維持してきた。しかし、日本政府は2015年9月、改正自衛隊法や改正武力攻撃事態法、改正国際平和協力法などを含んだ平和安全法制整備法と国際平和支援法を成立させた。とくに後者は、憲法解釈を改悪して集団的自衛権の行使を認め、米軍など外国軍への後方支援も容認するものだった。これは、日米2カ国による安全保障の優先であって、中国など周辺諸国に向けた抑止力の強化を目指したものだった。その傾向を反映して、2018年12月に閣議決定した2019年度予算案の防衛費は、前年度比1.3%増の5兆2574億円（含・在日米軍再編関連経費等）を計上し、7年連続の増額で過去最高となった。

3. 国家権力に対抗する社会的抵抗権

基本的人権は、本来、個人に基づいている。そのパーソナルな力を国家が管理するところに、思わぬ問題の生ずる余地があるのだ。個人単位の正当防衛としての力（社会的な力）の行使と、国家単位の自衛（専守防衛）としての力（国家的な力）の行使は、個人と国家が乖離している場合、歴然と違うのである。いわんや、個人と国家が乖離している場合における集団的自衛権としての力の行使は、言うを俟たないだろう。社会的な力は抵抗権（基本的人権）として国家的な力に優先している。2019年1月にフランスで生じたマクロン政権を批判する民衆の大々的な抗議デモは、社会的な力＝抵抗権が突出してヴァイオレンスと化したものだろう。2019年夏に香港で逃亡犯条例改正案問題を発端に生じた大規模な抗議行動でも学生・市民主体のヴァイオレンスが現実化した。

力と力のせめぎあいによって維持される平和状態について、21世紀を生きる我々は、むろん内乱や戦争をさせない社会的な力の優位を通してこれを実現するべきである。日本は、軍事力でなく政治外交や経済交流、文化交流という非軍事的手段によって国際協調を実現する段階を目指すべきである。

くどいかもしれないが、何度でも繰り返す。「平和」を「静」と仮定した場合、「平和」は永遠の本質とか根本精神といった不動や不変を意味するのでなく、たゆまぬ「動」における瞬間的緊張や均衡といった位相にある「静」なのだ。私の理解では、現実世界の動態（抗争状態）のただ中に実現される静態（均衡状態）が「平和」なのだ。ただし、抑止力＝軍事力 (force) を前提とした勢力均衡 (Balance of power) とは根本的に違う。〔文化〕による抵抗 (resistance) による、場合によっては〔革命・解放〕という抗力 (violence) の支援による、〔軍事支配・戦争〕という暴力 (force) の無力化を通じて獲得される平和状態である。〔軍事支配と戦争に対する文化による抵抗 (Counter-cultural resistance against military-rule and war)〕を通じて獲得される平和状態なのである。

最後にもう一つ繰り返す。個人を単位とする社会的な力は抵抗権（基本的人権）として、国家的な支配権に優先している。その抵抗権は力（支配権）と力（抵抗権）のせめぎあいによって平和状態を維持しもするが、自らの成立基盤を意識し、ヴァイオレンスにまで激昂したところで抵抗であることに相違なく、けっしてフォースに変質して支配権を樹立しないものである。レジスタンスであれレヴォリューションであれ、国家の樹立を目指し、それを樹立したらもはや抵抗勢力ではありえない。

蛇足だが、愛国精神は必ずしも軍事力を伴わないことを明記しておきたい。ナショナリズムを政治的な概念とみて、それとは相対的に別個の概念を、私は「パトリオフィル（愛郷心 , patriophil, patrophil) という造語を用いて次のように立論している。「パトリオフィル」の「パトリ」は郷土を、「フィル」は愛を意味し、合わせて「郷土愛･愛郷心」となる。それはナショナリズムのように政治的・国家的であるよりも社会的、あるいは文化的な概念であり、権力的・垂直的であるよりも非権力的・水平的な規範概念である。組織形態でいえば、政治的な国家 (nation state) でなく風土的なクニ (regional country) に近い、云々。この議論を始めると長くなるので、関心のある向きは以下の拙著をご参照されたい。「小川未明の愛郷心」『地域文化の沃土 頸城野往還』社会評論社、2018 年、第 7 章所収。

【参考資料】

以下に参考資料として、1975年に刊行した拙著『叛徒と革命──ブランキ・ヴァイトリンク・ノート』の「プロローグ」と「エピローグ」を掲載する。改めてデータを電子入力するにあたり、50数年の歳月をカバーするための工夫を行った（今世紀→20世紀、最近→1960年代後半、など）また、本書刊行時には、ヴァイトリング(Weitling)のことをドイツ語発音に即して「ヴァイトリンク」と記していたが、以後の著作においては多くの研究書・翻訳書の慣例に倣って「ヴァイトリング」としている。

なお、半世紀以前、私はかくも血気盛んな主張を為していた。それは紛れもない事実である。その上で記すのだが、以下の1975年論文と本章の2019年論文を連結する要因、それはなによりも、アミルカル・カブラルがギニアビサウ解放闘争において理論化した〔文化による抵抗〕のインパクトである。

☆　☆

プロローグ

本書（『叛徒と革命』）は、初期のプロレタリア革命運動、とりわけ、バブーフ、ブランキ、ビュヒナー、ヴァイトリング、そしてマルクスの思想と行動にみられる、革命的暴力について検討することを目的としている。

プロレタリア革命を論じ実践する運動について、その起点をフランス大革命末期のバブーフの行動に求めることは、こんにちまでの通説である。本書はそれに従っている。そして、マルクスの登場をメルクマールとして、それ以後の運動、あるいはマルクス主義を中心とする運動を以て、本格的な、科学的なプロレタリア運動が開始したとすることもまた、通説である。本書は、これにもまた一応同意する。一応というのは、たとえばアナキズムやサンディカリズム、トロツキズムやスターリニズムの評価をめぐって、マルクス主義を元来完成されたものと了解し、それを中心として運動が発展してきたかの如く主張する説を、本書は認めないからである。

そうした前提に立脚しつつも、ことプロレタリア暴力とか革命的暴力に関する意義、重要性は、年代を経る毎に深められ豊富化されてきたわけではない。たとえばブランキの暴力論を、プロレタリア暴力そのものを否定するために援用してみたり、トロツキーの革命的暴力を、ファシストの第五列だと宣伝してみたりすることは、歴史上に幾度も登場してくるのである。

プロレタリア革命は古今のどのような革命とも異なって人民総体がたたかいとるものである、ということは正しいのであるが、だから人民の支持・参加をとりつけるために暴力はもはや不必要であり害悪であるとして、すべての運動を議会主義の一点に集約せんとはかる傾向が存在する。それを主張する人々は、たいがいブルジョア的道徳論に依拠している。けれども、革命的暴力の不可避性・積極性を主張する運動も、それはそれで日々いたるところで噴出している——アラブの地で、インドシナで、またイギリスやフランス、それに日本で。

プロレタリア革命における暴力の役割は、バブーフ以来マルクス（主義）が登場するまでは、秘密結社とバリケード戦によって提起されつづけてきた。そのたたかいは、ときには学生やインテリゲンチャを主体として、ときには飢餓に苦しむ貧民大衆を中心として、またときには双方が一緒になって展開された。その時々のスローガンが、ブルジョア民主主義を標榜するものであれ、民族統一・祖国解放を標榜するものであれ、彼らのたたかいは、たえず兇暴な国家暴力と対決せざるをえず、それを自明のことと判断せねばならなかった。

本書では、革命的暴力の始原を武装蜂起の歴史に見いだし、それを闘争の中核とする革命家たちを一様に革命的暴力派として取り出し、彼らをあれこれの議会主義派や啓蒙改革派と区別し、とりたててその諸相を描き出してみる。論の構成と内容は次の諸点である。

第１点。バブーフやブランキの思想と行動に関し、いままで流布されてきた通説、イメージに変更を加えることである。バブーフ思想は粗野な共産主義だ、平等至上主義だというイメージ、またブランキズムは一揆主義だ、陰謀至上主義だといぅイメージは、革命運動史における常識みたいなものである。だが、彼らを救済しようとする人々は、その常識をくつがえそうとする。手段は何か。簡単である――マルクスと対比するな、それ以前の革命家なのだから――ということである。バブーフが粗野な理論をもったとしても、それはマルクス主義からみてのこと、あるいはそうした時代情況であったから、という内容が救済の骨子となるのである。言ってしまえば、バブーフもブランキも、過去の人物としては偉大であった、という結論に落着くのである。本書はそのような意味で従来のイメージに変更を加えるのではない。バブーフやブランキの理論の中に、マルクス以後もなお、現代もなお、光を放つものが存することを訴える意味で、常識に抵抗するのである。

第2点。えてして常識用語のブランキストにみたてられるヴィルヘルム・ヴァイトリングの革命的暴力論を検討することである。ドイツ労働運動の父などと称されるヴァイトリングは、ブランキほど人々に知られていない。せいぜい、マルクスが登場する以前の空想的共産主義者の一人だ、くらいの認識が多いかも知れない。彼は、フランス共産主義（バブーフ、ブランキ）の影響をうけ、またフーリエやラムネーに感化されながら、パリでドイツ解放運動に乗り出す。当時のドイツ、1830年代40年代のドイツは頗る反動的であり、革命運動はパリやロンドンで準備された。パリにあつまった亡命ドイツ人はヴァイトリンクを先頭にしてプロレタリア運動を展開する。 そして、バブーフ以来潜在的に社会革命を指向するグループが形成されつつあったにせよ、ヴァイトリングによる目的意識性をもった社会革命理論が提起されると、それは若きマルクスを感激させ、フォイエルバッハの賞賛を得、青年バクーニンをも感動させたのである。

だが、ヴァイトリングは何よりもブランキの行動に影響をうけたものだから、彼と同じような行動をとっていく。ヴァイトリングは、ブランキがおかしたと同じような誤ちを繰返すのである。その誤ちを、本書では〈暴動即革命〉論と名づける。これが、従来ブランキズムと称されてきたものである。またヴァイトリングは、パリで宗教的プロパガンダの有効性を知り、そのような傾向の共産主義を説く。これを、本書ではメシア共産主義と名づける。さらにまたヴァイトリングは、ブルジョア革命後のフランスで活動するあまり、ドイツを一挙に共産主義社会へ導こうと考える。そうした、ブルジョア革命を踏まえない一挙的な理論を、本書では〈革命即社会革命〉論と名づける。 以上のような、ヴァイトリングの革命論の検討のなかにあって主軸をなすのは、もちろん革命的暴力論である。ただ、現在の我が国では、ヴァイトリングの行動についていまだ大衆的に知られてはいない。そこで、彼に関しては大幅な紙面を費すことにする。

第３点。ヴァイトリングに象徴される労働者共産主義が、マルクスの哲学的共産主義と結合していく段階で、革命的暴力がいかに発展的に継承されていくかを探ることである。ブランキやヴァイトリングの〈暴動即革命〉論を、ヴァイトリングが登場する以前に批判していた人物がいる。それはゲオルク・ビュヒナーである。だが、実際的にその理論を批判しきれたのはマルクスである。マルクスは、ドイツ革命を経験する過程で、革命的暴力を文字どおりプロレタリア暴力として提起する。ブランキにしてもヴァイトリングにしても、その提起は〈暴動即革命〉論の外被を伴わざるをえなかったが、マルクスはその桎梏を打破したのである。打破せんと苦悩したビュヒナーは若くして死んでしまうのである。

第四点．以上の革命家たちすべてに共通する問題として、革命的暴力と、それを体現する主体、革命的な階層との結びつきを検討することである。プロレタリア革命を暴力で以て貫徹せんとする人々が、いったい誰を、どの階層を、その体現者に想定したかということは、様々なのである。まずバブーフはサン - キュロットと貧農に期待する 。ブランキとヴァイトリングは、サン - キュロットの末裔、都市下層民に期待する。ビュヒナーは貧農に期待する。そしてマルクスは近代プロレタリアートにそうするのである。この問題も「空想」という言葉で簡単に処理されそうなだけに、極めて重要であろう。ことに、マルクスは近代プロレタリアートを革命の主体・暴力の体現者にみたてたが、それを現代の労働者にまで押しひろげてみると、様々な疑問がおこってくる。その点をも含めて、この第四点は、本書の全体で検討することになる。

私が本書を著わそうとした動機は、以上の諸点から推測されることと思う。第１に、革命的暴力の今日的意義を再確認することである。第２に、そのためにはブランキを復権させ、「ブランキスト」ヴァイトリングのイメージを打破することである。また、マルクスのなかにヴァイトリングを見とおし、バブーフまでを見とおすことである。そして最後に、マルクス自身の思想とはちがうマルクス主義を断罪することである。

☆　☆

エピローグ

バブーフとサン - キュロット、ブランキとサン - キュロットの末裔、ビュヒナーと貧農、ヴァイトリングと手工業職人、マルクスと近代プロレタリアート、これらの組みあわせは最後の一組を除いてすべて空想的だといわれ、粗野で未熟だといわれる。その根拠は何よりも科学的共産主義である。それに照らして空想的、未熟なのだとされる。しかし本書は革命的暴力をテーマとしている。その真髄を歴史的に追認する目的で書かれている。たとえバブーフとブランキ、ビュヒナーとマルクス、ヴァイトリングとマルクス等のあいだに、一系列を想定する何らの根拠がないとしても、また古い時代から新しい時代にかけて、革命的暴力の真髄が次々と受け継がれた結びつきを強調しえないとしても、彼らには一つの共通する素材的経験と信念がある。素材的経験とは、絶対主義権力（封建貴族と特権ブルジョアジー）によって支配され、新興産業ブルジョアジーにも搾取される労働者・農民の貧困である。そして信念とは、その貧困からの永久解放を革命的暴力によって成就しようとするものである。そうした手段をも空想的、粗野だとするなら、マルクスもまた空想家である。だがそうした手段を、唯一現実有効的なものだと判断するのであれば、先の人々はすべて空想家ではない。

信念としての革命的暴力を、彼らは各々何らかのかたちで実践しようと試みた。まずバブーフは、サン - キュロットの運動に目的意識性を付与せんと、秘密の計画を、革命家の独自の組織行動を提起した。それはプロレタリア革命運動にとって実に有意義な提起であった。だがバブーフの理論には、独自の組織運動を大衆運動に優先させるという、また少数の革命家が主観的に革命気分にひたればそれで事をおこすといった、大きな陥穽が存在したのであった。それはブランキによって現実におかされ、ヴァイトリングにも受け継がれたのである。そうした少数者の、終始秘密にとどまる行動を批判したのはビュヒナーとマルクスであった。ビュヒナーは、革命はもっとも貧困に苦しむ下層の人民大衆自身の手によって成就されるという確信から、一つの歴史に残る檄文『ヘッセンの急使』を発した。しかし彼はそれ以上何かを模索せず、あるいはしようと思っていたのかも知れないが、チフスで若い生命を絶たれてしまったのである。その後に登場した哲学者マルクスは、バブーフの陥った(何よりもブランキの名と結びついた)誤りを見ぬき拒絶するとともに、それ以上のことをした。彼は大衆運動の方を革命党に優先させたのである。革命党の任務はけっして革命を行なうことでなく、それを準備し指導することであり、革命の主体はあくまでも大衆であると断言した。それでも彼は、バブーフ以来の原則的な信念については、それを受け継いだのである。彼は共産主義革命について、革命的な階層、独自の政治指導を行なう革命党、それに革命的暴力の三者のうち、どれ一つを欠いても成就しないことを確信したのである。

ところがプロレタリア階級闘争の歴史をどんどんくだってくると、この三者は実に奇妙な変化をする。まず第 1 に階級である。本書では一貫して「革命的」というふうに労働者を形容してきた。 しかし 20 世紀にはいると、非革命的あるいは反革命的な労働者が大量に出現してくる。そして鉄鎖のほか何ものも所有しない労働者の増大よりも、ありあまる富をもつ可能性を与えられた、労働貴族化した人々が目につきはじめてくる。第2に党である。「労働者の党」といっても20世紀にはいると、社会民主党と共産党が、あるいはまた官許声明をしないまでも、1960年代に至ってはニュー・レフトの諸党派が、いやそれどころか、バクーニンとマルクスの訣別以来、「反権威」を標榜するグループの地道な行動が、各々労働者の味方だと称して並立してくる。第三に暴力である。革命的暴力といっても、それは野蛮なものであり、昔の野蛮な時代にこそ照応していたが、もはや共産国も一大勢力となり労働組合も強力となったことにより平和革命の道が開かれた今となって、不必要であるとする「労働者の党」が出現してくるのである。そして、同じくマルクス主義党を自称するものではあっても、片や革命的暴力の提唱を、片や平和共存の提唱をするといった具合である。暴力の点では、昔の仲間が分裂し、昔の敵同志が結合しているといった具合である。

こうした現象を説明するには、資本主義国家も福祉政策を大幅に採用するようになったとか、労働者党も議会主義による改良の道を大いにめざしうるようになったとかの諸点があげられる。議会主義に転向した労働者党は、通例、ベルンシュタインの理論に依拠しているといわれる。あるいは また、晩年のエンゲルスがバリケード戦を否定した理論に依拠しているといわれる。そうした修正主義党派は、自己の主張をエンゲルスの言によって正統づけようとする。創始者の言なら修正主義にならないとでも思っているのだろう。だがそのエンゲルス自身を修正して引用すれば、やはり修正主義になるのである。エンゲルスはけっして革命的暴力を否定していない。19世紀全体を通じて種々の戦闘に支配的であった市街戦（バリケード戦）については、たしかに時代おくれになったと、彼は晩年に指摘している。それは第一に、国家暴力が比類なき肥大化を遂げている点から説明しているのであり、第二に、ようやく労働者にも政治的自由の利用が、議会の利用が可能となってきた点から説明しているのである。国家暴力が消滅したとか、国家暴力と革命的暴力の対決はもはやありえず議会のみがあるなどと、彼はけっして語っていない。エンゲルスの言が修正されて公表されたことを、本人自ら語っている。エンゲルスのこうした発言は、1969年に出版された『マルクス主義軍事論』（鹿砦社）に「将来の市街戦」と題して収録されているので、それを参考にしてほしい。国家暴力が（国家の存するところ）古今東西を通じて、一貫して存在していること、また暴力的でない国家はありえないこと、これに関する論証は、マルクスとレーニンが明白に述べている。それをわがものとして確認するならば、現代における革命的暴力の必要性、不可避性は否定しようのないところである。並立する労働者党のなかで、この点を無視し圧殺する党は、けっしてプロレタリア革命の党派ではありえない。すべての大衆運動を一票の投票に集約せんとして議会主義路線をひた走る党は反革命党である。

20世紀にはいり、たたかわない労働者が増大したといっても、議会主義的反革命党にとってはけっこうなことである。たたかわない労働者とたたかわない革命党、実際似た者同士である。労働貴族と金持革命家は革命的暴力とは無縁である。原理的にみれば、賃金労働者は革命的である。しかしほかの労働者が搾取されているのに、そこからあがった収益のおこぼれをもらってぜいたく三昧にふける賃金労働者は反革命的である。資本主義の最強同盟国たるアメリカ、西ドイツ、日本等の労働者は、第三世界の弱小諸国の労働者を直接間接に搾取している。また日本国内でも、大手企業の特権意識をもった労働者一族は、零細企業の労働者や日雇い労働者を差別し抑圧している。この分析は客観主義者には認められぬものである。彼らにとって革命的労働者とは何よりも賃金労働者一般であるから。下層民が下層民らしからぬ富をもったならば革命は卒中をおこす、というビュヒナーの指摘は現代にもあてはまりそうである。それを十分心得ている支配者どもは、労働者を分断し、たがいに敵対・差別させ、階級意識・団結を破壊するために、労働者に等級をつけ、上級にはそれ相当の富を恵んでやる。そうすると、自分もえらくなった、世の中に認められたと思う上級労働者は、支配者に尾をふりはじめる。この現象は何よりも支配者どもの策謀の結果である。しかし、労働者の分断搾取を取り除くためには、いまだ革命的志気を保持している人々、当然もっとも抑圧され、貧困にあえいでいる人々が、当面のあいだ苦しい孤独なたたかいを強いられるのである。

圧倒的な労働者が暴力的変革を拒否しているというのに、そのほかどこに革命的志気を失わないでいる人々がいるのか、とたずねる人々がいる。革命はすでに卒中をおこし、ありうるべきは改良でしかない、とあきらめている人々がいる。そのような疑問や指摘はなるほど真実のようにみえるが、けっして普遍的なものではない。地理的空間と時間的空間を考えてみよ。ブルジョアジーはその双方を同時に支配することができないのである。先進国のブルジョアジーは、自国の革命を麻痺させるために多少とも労働者の言い分を聞き、彼らに利益を与えてやる。だがそうした余裕は後進諸国の人民を搾取してはじめてかなうのである。支配者どもはこちらの労働者を手なずけるためにはあちらの労働者を苦しめるという手段をとるのである。また支配者どもは、一時的に労働者を去勢しえても、それを永続させようとすればますます己れの利益をあきらめねばならないから、それはできないのである。そんなわけで、先進諸国の労働者は、後進諸国の人民がだまって耐え忍んでいるあいだはまがりなりの高賃金にありつけようが、けっして安定してはいない。

マルクスが原理的に確認した賃金労働者に、客観主義的に依拠する革命は不可視である。マルクスがドイツ革命で客観主義的にブルジョアジーの革命性に期待し、そして裏切られたように、こんにちたたかわない労働者に、労働者だからといって全面的に期待をかけても何事もおこらない。それは、富裕な労働者が反革命を唱えているのでなく、ブルジョアジーがそのように操作しているという意味においてである。来たるべきプロレタリア革命は、ガリアの雄鶏の雄たけび（フランス革命）ではなしに、後進諸国の革命闘争が日増に拡大していく中で、ブルジョアジーが先進諸国の労働者をもはや反革命の鎖にしばりつけておけなくなった時点で、先進国、後進国の同時的な革命として開始されるであろう。来たるべき革命が、いまは眠りこけている人々をも含めて、全労働者の手で、世界革命として成就されることはまちがいないのである。マルクスの原理的確認がけっして誤っていないことは、その時こそ再確認されよう。したがって、こんにち、革命的暴力を真剣に、ということは国家の本質をけっして誤らずにとらえている人々が後進諸国の人民や、先進諸国の下層労働者であるからといって、ストレートに後進国革命即プロレタリア革命、窮民革命即プロレタリア革命という結論を引き出すのは、主観主義的な誤りである。プロレタリア革命は、すくなくともアメリカ、西ドイツ、日本等、もっとも強大な帝国主義諸国の労働者が自国を揺るがさないかぎり、最終的には成就しないだろう。永続革命の只中で、全世界がブルジョアジーの世界同盟とプロレタリアートの世界同盟に分化し、国家暴力と革命的暴力とが熾烈な戦闘を展開するようになる日こそ、革命的暴力の勝利する日となろう。

主観主義に陥ることなく、あるいはそれ以上に客観主義に陥ることなく、現在の労働者人民のおかれている位置を十分把握し、たたかう陣型を日々強固にしていくことが、革命にとっていま不可欠の課題となっている。後進諸国での、はげしさを増しつつある革命闘争に呼応して、日本でも革命的暴力が復権した。戦後の平和と民主主義の終焉は革命的暴力の蘇生を意味している。それは種々の誤ちを犯しながらも、もはや絶えることなく前進しているし、前進させねばならない。それを担う者が、たとえ客観主義者や反動の連中によってデクラセ・インテリとかルン・プロとか非難されても、またたたかわない労働者党から過激派、暴力学生とののしられても、彼ら自身が主観主義に陥らないかぎり、その使命は偉大である。1960年代後半の大学闘争で登場してきた革命的知識人、学生、「不況」という名のもとにブルジョアジーの搾取をもっともひどくこうむっている日雇い、下請け、臨時労働者、これらの戦闘的な労働者人民は、各地の大衆運動の中核として、革命的暴力を大胆にかかげる主体なのである。

第４章　国家の戦争・民間の戦争・技術の戦争
――ロシアのウクライナ侵攻によせて

はじめに

ロシアが2022年2月24日にウクライナに侵攻してから、かれこれ半年ほど経過した。2014年に両国間で生じたクリミア危機からくすぶっていたウクライナ東部における親欧州派と親ロシア派の紛争は、2015年にいったん停戦合意された。それが、2022年2月に至って破られた。

その後に生じた重大な出来事は、以下の通りである。同月24日、ロシアのプーチンは、ウクライナ東部での「特別軍事作戦」を実施すると宣言し、大規模な軍事侵攻を開始した。同年7月、世界最大の武器輸出国であるアメリカは、ウクライナや近隣の東欧諸国に対して、23年9月末までの間、軍事物資を貸与するための手続きを簡略化し、迅速に提供することを可能にする法律、いわゆる「レンドリース法＝武器貸与法」を成立させた。それを受けてウクライナ軍は、ただちに、ロシア国内にとどく射程距離を有するM142高機動ロケット砲システム(HIMARS)で南部ヘルソン州ノバカホフカにあるロシア軍の弾薬庫を攻撃した。この法律は、1941年から45年にかけてアメリカが連合国側への物資支援を目的に成立させた対枢軸国プログラムで、その80年ぶりの復活だった。

同月16日の『朝日新聞デジタル』には、以下の記事が掲載された。「ロシアの民間軍事会社「ワグネル」が、インターネットのサイトでウクライナに派遣する戦闘員を募集していたことがわかった。ロシアの経済紙RBCが報じた。／ワグネルはプーチン大統領に近い非合法の傭兵（ようへい）部隊で、虐殺など非人道的な行為に関与したという指摘もあるが、その実態の一端が明らかになるのは極めて異例の事態だ」。

正式には「ワグナー・グループ」（創設者エフゲニー・プリゴジン）と称するこの組織は、同記事によると以下の要領で戦闘員を採用した。「契約期間は約4カ月。1週間の訓練後、ウクライナに送られる。手取りの月給は24万ルーブル（約57万円）とロシア平均の約4倍。実績に応じて15万（約35万円）～70万ルーブル（約166万円）の賞与も支払われるという」（☆01）。

以上の米露両国の動きをみると、前者は旧来の国家による戦争を遂行していると解釈できるが、後者はワグネルと称する民間軍事会社が戦争を一部代行していると解釈できる。しかし、民間軍事会社についていっそう詳しく調べてみると、アメリカ軍やイギリス軍にも介在していることがわかる。そこで、本稿では、この問題を以下の小項目に分けて論じてみる。1．正規軍と民間戦闘員の関係。2．戦闘ロボットは兵器か兵士か。3．兵器開発は学術か経済か軍事か。

1．正規軍と民間戦闘員の関係

ロシアによるウクライナ侵攻を20世紀からの時系列でみると、その背景にはスラヴ系民族問題が控えている（☆02）。旧ソ連崩壊を契機に、トランスナショナルあるいはボーダーレスの時代が一気に加速した。東欧・バルカン半島をはじめとして、世界各地であらためて民族問題が深刻化した。そもそも1918年に発せられたウィルソン十四か条で、国際社会は「一民族一国家」を原則ないし理想に掲げた（☆03）。しかし実態は違っており、強大な支配民族が中小の被支配民族を従えた国民国家が存在してきたのである。ところが1989年以後、東欧・バルカンの旧社会主義地域や旧ソ連領内の各地で国家再編の激動が生じると、多くの中小諸民族は自前のミニ国家をつくろうとしつつもそうできず、人権というか民族の権利というか、それを相互に侵害し合うこととなったのだった。国民国家を形成しえない諸民族は、当然、国連に代表を送れない。そのような民族はけっして国家（国民）でありはしない。かつて成立していた多民族国家が解体し、多民族がそのまま国家という枠からはずされて国境を喪失してしまった。国家というボーダーを喪失した中小民族である。すべて情報化時代ならではの国際現象である。

20世紀まで軍事は挙国一致や独裁を含め、原則的に政治(政府)の下部に位置していた。だが軍事は、多くの場合、21世紀を通過する間に担い手を民間にとってかえられ、社会経済的システムの一角に転位しつつある。戦闘行為を支える軍事は民間(科学技術・企業活動)が担うこととなる。軍事技術や戦闘員の諸国間売買移転は日常化している。上記のワグネルに代表される民間軍事会社(PMC)は、すでに多数存在している(☆04)。一国家のみならず、中小の国家歳入を越える資本を動かすGAFAのごとき巨大ITビジネスは、今後、社内外に独自の軍事部門(サイバースペースをも含めて)を備えることだろう。

軍隊の民営化、民間セクター化に先鞭をつけた国は英米であり、両国政府はPMCが戦場を支配することになる契機をつくった。世にいう新自由主義の路線である。その代表はロナルド・レーガン米国大統領(在任1981-89)のレーガノミクスとマーガレット・サッチャー英国首相(在任1979-90)のサッチャリズムである。その路線に日本の中曽根康弘(在任1982-84, 86-87)や小泉純一郎(在任2001-05)が連なった。

ところで、「民間セクター」とは何か。「セクター」には、第一の公共(政府)セクター、第二の営利(企業)セクター、および第三の(民間)非営利セクターと、3種類が存在する。さて、PMCは、はたして非営利を旨とする団体だろうか。第一セクターよりも安く受注する営利企業の一つ、つまりビジネスを目的とする第二セクターなのではなかろうか。ボーダーレスの時代における国際間交渉や情報技術の人材不足を補うビジネスを担うのがPMCなのである。さらに、PMCは一国家との役割分担を担う非国家であるとしても、それは多国籍の社員をかかえ他の国家の業務も担う多国籍的な存在だったりする。また、PMCの活動の中にはたんなる補助や臨時でなく、一地域や一時期に限定するにせよ、対テロ戦争などでは正規軍を完全に代行するケースも見られる。あるいは、イーベン・バロウが設置した南アフリカのエグゼクティブ・アウトカムズ(EO)社のように、南アのアパルトヘイトで黒人弾圧に貢献した人物がPMCを設立して周辺諸国の内戦に介入するというケースもある。

ところで、イギリスのジャーナリスト、ソロモン・ヒューズは自著で「政府が国民に及ぼす権力を民間企業に委託する」「国が独占してきた力を営利企業に下請けさせられる」と記している(☆05)。ということは、国家権力の民営化であり、委託された当事者は国家権力の代行者となることを意味する。そうなると委託された企業やそこで働く民間の戦闘員の法的な立ち位置はどうなるか、という疑問がただちに浮かぶ。戦時国際法ジュネーブ条約(第三条約)第一編総則第三条第一項では、「敵対行為に直接に参加しない者」として「武器を放棄した軍隊の構成員」が記されているものの、武器を所持した民間人の記述はない。民間人であれば軍法会議にかけられない。

しかし現在のウクライナ戦争が示すように、そのような疑問を抱いていられないほど、世界情勢は激動の渦に飲み込まれていく。PMCは、兵士(人間)を派遣するだけでなく、要請があれば行軍(作戦)を代行することを民営化するということなのだろう。

PMCは、戦闘員の採用にあたって軍事に関する経験や知識、技術をチェックし、採用後に軍事訓練も行うが、それに時間を費やしている暇はない。そこで問題となってくるのが装備品の軽量化と操作の単純化である。それに関連して、南アフリカの戦争ジャーナリストであるアル・J・フェンターはこう記している。「記録にも残っていることだが、ソ連のアフガニスタン侵攻後、現地の反政府勢力ムジャヒディン(イスラム戦士)に携帯式のスティンガー・ミサイルを最初にあたえたのは、アメリカであった。しかも使い方まで教え、その結果、ムジャヒディンはスティンガーを使いこなし、のちにソヴィエト連邦崩壊の一因となる戦争でヘリコプターやジェット機を何百台も撃ち落とした」(☆06)。

この文章を読むと、私は「カラシニコフ(AK-47)」を連想する。アフリカでは、20 世紀後半になって独立を果たした後も、欧米から持ち込まれる武器はアフリカ内部の民族紛争を煽り続けた。有名な武器に旧ソ連製の小銃カラシニコフがある。現在までに世界中の戦争・内乱・テロ・犯罪などで使用されてきた銃の大半は、ロシアのミハイル・カラシニコフが 1947 年に開発した自動小銃である。冷戦時代に 108 ヶ国に輸出された。その間、アフリカの内戦は、その多くが「悪魔の銃」と称されるこの小銃ないしその模倣銃・改造銃によって発生している。2016 年には、米企業カラシニコフ USA がアメリカ国内で AK-47 の製造を始めると報道された。他にいくつかのメーカーがそれに追従し、アメリカ製 AK-47 を製造し始めた（☆07)。

さて、民間軍事会社による代行は、兵士（人間）の代行→行軍（作戦）の代行→戦争（国策）の代行へとエスカレートした。単独ではもはや国土・国民の安全を確保できなくなった国家は、友好諸国と連携して集団で安全保障を維持しようとする。ということは、20 世紀に至って実現した「国際連盟」「国際連合」、すなわち、単一の機構で世界大の安全を保障するという理念や制度の終焉を意味することになる。現在日米安全保障体制下に構築されている 2 国間同盟は、形式だけに注目するならば、かつての三国同盟や三国協商、連合国や枢軸国といった部分的同盟に戻ったようにも思える。しかし日米同盟の内実は、2 国間を越えて世界大（グローバル）に及んでいる。外務省ホームページに掲載されている「日米同盟：未来のための変革と再編（骨子）」には、以下の記述が読まれる。「日米同盟は、日本の安全とアジア太平洋地域の平和と安定のために不可欠な基礎。同盟に基づいた緊密かつ協力的な関係は、世界における課題に対処する上で重要な役割を果たす」（☆08)。

しかし、日米同盟の内実は、旧態依然たる表現ではあるが、どの国の軍隊も防衛を謳っているのと同様、どの軍事同盟も当事国のヘゲモニー下での国際平和の実現を目標に掲げているように思われる。その対極には中国とロシアを軸とする同盟が並立・対立するに及んでいる。ウクライナ戦争はそのはざまで激化してきた。

２．戦闘ロボットは兵器か兵士か（オバマの脱核兵器・無人化）

フェンター著作によると、「ロサイスとプリマスの原子力船渠を管理している民間の契約業者２社は、陸地で放射性廃棄物を保管する契約の入札を行ない、住民の警戒心をかきたてている」（☆09)。軍事との関連も指摘できる放射性廃棄物処理の業務も民営化されている。ウクライナ戦争が激化してきた2022年段階で、いわゆる〔海に浮かぶ原発〕構想が現実味を帯びてきているが、この構想は軍事の民営化と深くかかわると言えよう（☆10)。

なにも軍事に限らず、放射性物質を扱う仕事現場にはロボット機器が投入される。その投入先が戦場の場合、ロボットは人間の代理としての機械なのか、それとも人間と共生する存在なのか。あるいはまた、投入されたロボットは人間労働の代理をしているのか、それとも人間労働そのものを遂行しているのだろうか。この〔人間 - ロボット〕問題は、直接にはウクライナ戦争と関係ないが、間接的にはおおいに関係する。たとえば米軍がウクライナに戦闘ロボットを貸与したとして、それは装備品なのか戦闘員なのか。後者の解釈であれば、ロシアとウクライナの戦争にアメリカが軍事介入し、ウクライナ側に立って戦闘行為をなしたことになる。

私の〔ロボット・フェティシズム〕論によると、「コンピュータは身体の補助器具でなく、かぎりなく身体それ自身に近くなってきた」。「科学技術の進展は、ライフサイクルのスピードアップを実現してきたばかりではない。ヒトとヒトとの関係、ヒトとモノとの関係をも大きく変化させてきた。ヒトがモノ的になり、あるいはまた逆に、モノがヒト的になる技術が開発されてきた。それは例えば、臓器移植や遺伝子分析の技術に見られ、バーチャル・リアリティやロボット開発の技術に見られる」（☆11)。

それからまた、価値生産の主体としての人間労働に関して、私はそこにロボットを介入させてみたい、以下のようにして。「21世紀のこんにちに急展開するロボット工学、コンピュータ・サイエンスの産業への反映を考慮すると、マルクスの打ち立てた労働価値説それ自体からして、現実有効性を喪失している。結論を提示すると、価値を産むのは人間労働だけでなく、AI 搭載ロボットも人間業で達成困難な価値生産に参加しているということである」。「価値を産むのは人間労働だけでなく、AI 搭載ロボットも価値生産に参加している、ということである」(☆12)。

ロボットなど機械も労働し価値＝富を産みだす。ロボットが産みだした富はロボット所有経営者のものとなるが、経営者はロボットが産み出した富にみあう納税義務を果たす。人間労働が減少し納税が減少した分をロボット労働が補い、回復した国庫収入は、働かない人間のためのベイシック・インカムなどの原資となる。

PMC の契約業者にとって戦場は仕事現場なので、なるべく合理的に利益を上げようとする。最小の出費で最大の利益を上げるには、戦闘現場における市民生活の崩壊を加速するのがいちばんと思ってダム爆破など無差別的に行動する。しかし、アシモフの SF 小説に出てくるようなロボット三原則をインプットしたロボットは、そのような残忍な行動をとらないだろうか。この三原則は明らかに人間中心主義で貫かれている。たとえどんな邪悪な考えの人間でも、人間であるかぎりロボットはその人物に忠実に従う義務がある、ということにもなる(☆13)。

ところで、フェンターは、正規軍兵士は規律正しいので、そこから補給される戦闘員もまた規律正しいと考えている(☆14)。しかし、その認識はたいへんな誤認である。ウクライナ戦争に介入しているワグネルの仕業を見れば一目瞭然である(☆15)。むしろ私は非欧米の、ギニアビサウ解放運動におけるゲリラ兵の日常生活にこそ規律を見いだしている。この運動における傑出した指導者カブラルは兵士たちに向かってこういう。「我々の武装抵抗の根本的な目標は、政治のみによっては達成できないことを実現することにある」(☆16)。政治よりも重要なのは「文化」であり、「文化の差異」であり、戦闘の主導権を握るのは銃弾の量ではなく文化の差異なのだ、と力説する。

戦闘ロボットは人間か機械か、それは残忍かそうでないか、といった問題は今後の討究課題であることは間違いない。それと、かつてオバマ大統領がめざした「核兵器のない世界」政策には、その反面で無人爆撃機による戦闘行為がからむ。無人爆撃機はアメリカ兵の生命を守るだけだからである。ロボットを戦場に投入しても、ワグネルらがウクライナの市中各所で非戦闘員の殺戮を繰り返すようであっては、人道上の配慮は皆無といえる。

3．兵器開発は学術か経済か軍事か

昔から、戦争は技術開発の推進力である、との考えがある。技術(techne)は、古代・中世ヨーロッパのキリスト教社会においては、地上の富を豊かにするだけのものとして軽視された。またイギリスでは、元来ギリシアで天才、特別の才能を意味した engineer が技術者という意味に用いられた。百年戦争当時、大砲や火薬の製造技術が優れたエンジニアの腕の見せどころであったという。産業革命の時代以降になると、技術は技巧的・手工業的な次元におさまらなくなり、やがて機械制大工業ないし電機電子関連産業にかかわる内容にまで体系的な膨らみを持ちはじめた。

19 世紀末までに、ヨーロッパ諸国では交通運輸をはじめ、様々な分野で科学技術の成果が実用化していた。例えば交通機関ではドイツのディーゼルが内燃機関の性能をアップさせ、スエズ運河やアメリカ横断鉄道、シベリア鉄道、パナマ運河などの開通とあいまって、船舶その他の大型運輸機械の動力に活用された。また、ガソリン・エンジンの発明は自動車産業や航空機産業の発達を促した。さらには、アメリカのベルは電話を発明し、イタリアのマルコーニは無線電信機を発明した。こうした科学技術の成果は、しかし、20 世紀になると戦争に動員されることとなる。自動車は戦車に、航空機は戦闘機に、船舶は戦艦や潜水艦に応用された。また、戦場での大量殺傷用の毒ガスも製造された。以後 20 世紀全般にわたって、いわば戦争が科学技術の産婆役を果たすことになるのであった。第二次世界大戦中、アメリカでは石油から人造ゴムや化学繊維がつくられ、敵国諸機関の無電を読み解く技術が開発された。あるいは新しい動力源として原子力が開発された。しかし、原子力はまず第一に原子爆弾として使用され、広島と長崎に投下された。このように科学技術は、帝国主義戦争に応用されたならば人類に被害を及ぼす方がおおい。こうして 20 世紀の戦争は、軍事力・経済力、そして科学技術力などの総合された戦争、いわゆる総力戦となるのだった。

ところで、兵器を産みだす技術は生産財をも消費財をも産みだす。兵器は生産財ではなく、市民生活上の消費財でもない。だが、その生産に用いられた技術は戦争を遂行するのに不可欠なのである。そうなってくると研究機関で様々な意図をもって進められる先端技術開発は、研究当事者の個別的な意図とは相対的に別個の目的、戦争にも活用されることになる。「デュアルユース・テクノロジー」である。それは民生・軍事のどちらにも利用できる先端技術である。

2019 年 11 月、日本で初の総合的武器見本市「DSEI JAPAN」が千葉市の幕張メッセで開かれた。このイベントは、武器が商品であることを如実に示している。戦争ビジネスである。けれども、武器は市民生活にかかわる生産財でも消費財でもない。武器は武器である。とはいえ、昔と違って、人と人とが交戦し殺し合う道具でなく、ロボットとロボットが交戦する、いわばゲーム化した戦争のツール、アイテムなのだろう。人間でなく、人間不在の場で技術が戦争を遂行する、という段階にあるのだろうか。

もしもその推測が現実味を帯びるとしたら、人やモノでなく科学技術を介したサービスの戦争が一般化し、AI(人工知能)が人間の知能・知性を超えるスーパーインテリジェンスを獲得する転換点(技術的特異点)、または、それにより社会生活に大転換がもたらされる事態、すなわちシンギュラリティがあらためてクローズパップされることになる。その時こそ、戦争の戦略・戦術は人間不在の AI 参謀サイバー会議で決定され、戦局はメタバースで推移し、人間は、例えば昨今のコロナ禍で上海市民が長期にわたって外出禁止令下に置かれたのと似たような、いわばアルマジロやダンゴムシのごとき避難生活を自ら選ぶことだろう。

しかし私は、以上のような経過をたどるようなシンギュラリティは生じないと考えている。以下、拙稿「労働価値説の現実有効性喪失」から引用する。

> 生態系を一つの生命とみなす立場からすれば、自然にも生きる権利はある。自然が滅べば、その一部である人間も滅ぶ。自然を生かすことはすなわち人間を生かすことになる。そのようなロジックで自然への権利付与が現実味を帯びたのである。／そうであるならば、加工された自然であるロボットもまた権利主体である、という考えを打ち出しても、さほど突飛ではない。いまやロボット工学、コンピュータ・サイエンスは人類社会を根底から支えている。その成果であるAI搭載ロボットを生かすことはすなわち人間を生かすことになる。その発想から得られる結論は、価値を産むのは人間労働だけでなく、AI搭載ロボットも価値生産に参加している、ということである(☆17)。

読んで字のごとく、AI搭載ロボットは人間の生存手段ではない。人権と並ぶ権利を有する主体である。そのような存在を、私は〔アルター・エゴ(もう一人の私)〕と表現してきた。その関係は、人間と自然・生物、労働者と道具・機械のあいだにも妥当する。この発想を、私は19世紀ドイツの哲学者ルートヴィヒ・フォイエルバッハから学んだ(☆18)。シンギュラリティは人間とAIとのあいだの知的優位性の逆転を捉えた概念であり、主従関係を連想させる。それに対して、フォイエルバッハのアルター・エゴは人間とAIとのあいだの交互関係を捉えた概念である。

AI搭載ロボットは人間の生存手段ではない、との主張の根底には「環境の凝固結晶としての人間身体」という私の議論がある。以下、拙稿「環境の凝固結晶としての人間身体」から引用する。

〔引用1〕身体の変容は、身体が環境的自然への拡張によって生じるのではなく、環境的自然が人間身体への凝固・結晶によって生じるのである。ベクトルは逆である。人間から人間の変容を説明するのでなく、環境的自然から人間の変容を説明することが理に適っているのである。また、道具（生産）は人間身体の自然界への拡張手段としてあるのでなく、道具はヒトの自然的存在から社会的存在への転回手段としてあった。いったん人間身体（社会的存在）が成立（結晶）すると、こんどは人間身体が環境的自然に向かって拡張していった。はしがきで述べた「道具・機械も身体の一部といった発想」である。だが、それは釈迦（自然的環境）の掌で動き回る孫悟空（人間身体）の振幅と同じだった。①環境→身体、および②環境←身体の双方向において、主導は①だということである。

〔引用2〕かつて、神は自分の姿に似せて人間を創った。現在、人間は自分の姿に似せてロボットを造っている。けれども、よく観察してみると、ロボットが完全なものに近づくほどに、人間身体はロボット的に変容していく。つまり、ロボットは人間身体を文化的身体から機械的身体、そして電子デジタル的身体へと変容させていくのである（☆19)。

さて、本節のテーマである兵器開発は学術か経済か軍事か、という議論に戻るとしよう。兵器開発は古代国家の成立以来、第一に軍事目的である。近代に至り、市民生活の多様化を通じて兵器生産技術がデュアル・ユースとなる度合いが高まるにつれ、それは経済（商品生産）目的となる。自国の戦争遂行のためにつくるのでなく、他国相手の利潤追求に奔走するのである。その理想は戦争当事国の双方を商売相手に得ることかもしれない。2021年、トルコのエルドアン大統領は、アンゴラをはじめアフリカ諸国に無人航空機（UAV）を売り込み、

2022年にはウクライナ軍が対ロシア戦にトルコ製の無人爆撃機バイラクタル(TB2)を導入した。

この軍事か経済か、あるいは軍用か民生用か、という問いには、双方を支える科学技術、特に技術開発の目的が大きく関わってくる。①当初から軍用の開発、②当初から民生用の開発、③両用の開発(応用)、そして④意図せざる開発(結果)という類型のいずれかに該当することとなる。そのうち④は、学術研究者本人の意図とは無関係にその成果がその学術的意図を越境してしまうケースである。なるほど研究者は、越境の可能性をシミュレートし、越境先での社会的なリスク評価をすることはできる。

しかし、研究者あるいは一市民の個人的な価値観・倫理観、とりわけ国家による武力行使についてのそれは多様である。プロイセン陸軍のクラウゼヴィッツが19世紀前半に書いた『戦争論』には、戦争、とりわけ近代戦争は政治の継続である、とある。共産主義者エンゲルスはこの書物にそうとう影響されている。1865年に「プロイセンの軍事問題とドイツ労働者党」という長編の論文を執筆し、その中でプロイセン国家の制定する徴兵制に関して以下のように肯定的に論じた。「一般兵役義務は、普通選挙権の必要にして当然な補足物である」(☆20)。彼の主張は、20世紀の議会主義左翼には受け付けられない。だが、民主主義は軍事にかかっているとみた19世紀のマルクス主義者や20世紀の社会主義国家には当然の言い分であって、ことさら力説するにおよばない前提条件である。

日本国憲法のもとにある我が国においてなおのこと、私は、あくまでも現に発生しているウクライナ戦争を契機として、①国家による戦争→②民間による戦争→③技術による戦争、という3類型を時系列的に①から③にかけて分析するにとどめたい(☆21)。

むすびに

2010年から12年にかけて、私は立正大学文学部で講義「西洋史概説」を担当した。そのとき、テーマを「ヨーロッパ近代の光と影――革命と近代(前期)・戦争と近代(後期)」とし、以下のシラバスを履修生に示した。

> ヨーロッパ社会が前近代から近代に転換していく過程で、歴史創造の主体もまた大きく変化した。例えば、1792年9月ヴァルミーの戦いに従軍し「この日、この場所から世界史の新しい時代が始まる」と『滞仏陣中記』に記したドイツ人ゲーテは、市民の軍隊が絶対主義の軍隊を破るといった事態を瞬間的に目撃した。ところが、その市民たちは、19世紀から20世紀にかけて、革命と戦争という流血の近代史を綴ることとなった。ある時はパリのバリケードで、またある時はサラエヴォの街頭でそれらは勃発した。本講義では、ヨーロッパ近代を産み出し成長させるのに不可欠だった革命と戦争を近代史の中軸において検討する。前期「革命と近代」、後期「戦争と近代」。そして、例えば、民主主義は戦争によって勝ち取られ、民主主義はまた開戦や独裁をも決議してきたのだということを、歴史から学びとることを目的にしている(☆22)。

侵略戦争・防衛戦争・解放戦争・革命戦争などの名称を一瞥するだけでわかるように、戦争は諸刃の剣である。今回のロシアによるウクライナ侵攻にしても、立場や見方によって上記の4種すべてが当てはまる。けれども、いかなる戦争にも二つだけ共通する現象がある。いずれも部分的あるいは未遂に終わることはあるものの、権力争奪とそのための人的物的破壊である。ともに暴力である。しかし私は、暴力を二つの類型に区別する。前章で縷々説明したフォースとヴァイオレンスである。

本稿のテーマ「国家の戦争・民間の戦争・技術の戦争」は、戦争は絶対悪だ、殺人もそうだ、という議論を検討課題にしているわけではない。けれども、国家・民間・技術の三つ巴が引き起こす戦闘場面は、紛れもなく人的物的破壊激化の度合いを強めてきた。それは絶対に阻止しなければならない。本稿に第二の執筆目的があるとすれば、この課題解決である(☆23)。「まえがき」に記したロジャヴァの革命も忘れてはならない(☆24)。

注

01　『朝日新聞デジタル』2022年7月16日(土)14時配信。
https://www.asahi.com/articles/ASQ7J01GFQ7GUHBI02P.html

02　ウクライナとロシアの民族問題について、私は『ロシア原初年代記』の世界から考察している。以下の拙稿を参照。「ルッソフィル(ロシア原初主義)とスラヴォフィル(スラヴ愛国主義)」、石塚正英『歴史知の百学連環——文明を支える原初性』社会評論社、2022年、198-200頁。ルーシ人の国であるウクライナのキーウ公国はルッソフィル(ロシア原初主義)の地であり、ロシア人の国であるモスクワ大公国以後はスラヴォフィル(スラヴ愛国主義)が発展した地域だということである。

03　私は21世紀国際情勢の分析にウィルソン十四カ条を最大重要視している。以下の拙稿を参照。「ウィルソンの十四カ条とコアリション(合従連衡)による集団的自衛」、『NPO法人頸城野郷土資料室学術研究部研究紀要』2023年、フォーラム118号。

04　民間軍事会社の代表的な組織として、アメリカのダインコープ・インターナショナル、イギリスのエリニュス・インターナショナルなどがある。なお、近年における「戦争のあり方」に関連して、戦争ジャーナリストのフェンターはこう記している。「今後は『戦争を行なう主体』が近代以前に見られた集団に似てくる可能性を示唆している。近代以前の集団とは、たとえば小規模な地域紛争で互いに対立しあう部族集団、宗教団体、かつてヨーロッパと極東の交易ルートを切り開いた営利企業などのことだ。オランダ東インド会社もイギリス東インド会社も、独自の軍隊をもっており、その構成員は全員が傭兵だった」。アル・J・フェンター、小林朋則訳『ドキュメント 世界の傭兵最前線——アメリカ・イラク・アフガニスタンからアフリカまで』原書房、2016年、14頁。

05　ソロモン・ヒューズ、松本剛史訳『対テロ戦争株式会社──「不安の政治」から営利をむさぼる企業』河出書房新社、2008年、18頁。

06　フェンター、前掲書、404頁。

07　松本仁一『カラシニコフ』朝日新聞社、2004年。松本仁一『カラシニコフII』朝日新聞社、2006年。最上敏樹『人道的介入－正義の武力介入はあるか－』岩波新書、2001年。

https://ja.wikipedia.org/wiki/AK-47

08　外務省ホームページ「日米同盟：未来のための変革と再編（骨子）」https://www.mofa.go.jp/mofaj/area/usa/hosho/henkaku_saihen_k.html

09　フェンター、前掲書、74頁。

10　参考：『乗りものニュース』2022年7月12日付「イギリスに本拠地を置く海洋原子力プロバイダーの「コア・パワー（CORE POWER)」は日本の造船会社などと協力し、溶融塩炉（MSR）を搭載する浮体式の原子力発電所を計画しています。2026年以降にMSRの実証試験を行い、2030年代前半の実用化を目指しています」。

https://trafficnews.jp/post/120371

11　石塚正英『身体知と感性知──アンサンブル』社会評論社、2014年、52頁、57頁。

12　石塚正英『歴史知の百学連環──文明を支える原初性』社会評論社、2022年、125頁、126頁。

13　アイザック・アシモフの小説群に登場するロボット三原則（ロボット工学三原則）を以下に引用する。「第一条　ロボットは人間に危害を加えてはならない。またその危険を看過することによって、人間に危害を及ぼしてはならない。第二条　ロボットは人間に与えられた命令に服従しなければならない。ただし、与えられた命令が第一条に反する場合はこの限りではない。第三条　ロボットは第一条および第二条に反するおそれのない限り自己を守らなければならない」。福島正実「アイザック・アシモフ──その人と作品」、アイザック・アシモフ、福島正実訳『鋼鉄都市』早川書房（ハヤカワ文庫）、1954年、345頁以降。

14　フェンターは楽観的にこう記している。「今日のプロフェッショナルな傭兵は、たいていがごくふつうの者たちである。大多数は、読者の地元の警官であってもおかしくないような人々だ。現代の傭兵がほかの人々と違っているのはただひとつ、十分な経験をもった元軍人であることだけだ。戦闘に参加して生還した者なのである。／さらに、ほとんどの正規軍のきわめて厳しい規則に通じているだけでなく、攻撃を受けたら巧みに対処できる人々もいる。実際、人生の半分を軍隊ですごしている者は多く、彼らは、率直にいうと、そのことを大いに誇りに思っている」。フェンター、前掲書、274-275頁。私はフェンターに同意しない。人は立場や利害の変化に応じて、信念を変える。

15　『朝日新聞デジタル』(2022年7月16日14時配信）に、以下の記事が掲載された。「ワグネルはプーチン大統領に近い非合法の傭兵（ようへい）部隊で、虐殺など非人道的な行為に関与したという指摘もあるが、その実態の一端が明らかになるのは極めて異例の事態だ」。https://www.asahi.com/articles/ASQ7J01GFQ7GUHBI02P.html

16　参考：石塚正英『アミルカル・カブラル――アフリカ革命のアウラ』柘植書房新社、2019年。アミルカル・カブラル、同協会編訳『アミルカル・カブラル 抵抗と創造』柘植書房、1993年、163-164頁。

17　石塚正英『歴史知の百学連環――文明を支える原初性』社会評論社、2022年、125-126頁。

18　石塚正英『フォイエルバッハの社会哲学――他我論を基軸に』社会評論社、2022年、参照。

19　石塚正英『身体知と感性知――アンサンブル』社会評論社、2014年、228頁、229頁。

20　村田陽一ほか訳『マルクス・エンゲルス全集』第16巻、大月書店、1966年、63頁。

21　学術研究の姿勢と目的に関して、研究者である私個人の見解を述べるならば、以下の通りである。大学は学問の自由を守るため軍事研究をめぐる政府の介入に抵抗する。市民は生活の自由を守るため大学の軍事研究に抵抗する。以下の拙稿を参照。石塚正英「人間学的〔学問の自由〕を求めて――軍産官学連携への警鐘――」、『学問の使命と知の行動圏域』社会評論社、2019年、所収。

22　石塚正英『世界史学習の道具箱』石塚正英研究室（東京電機大学理工学部）、2017年、第5章「大学講座シラバス」、97頁。

23　人的物的破壊激化の度合いを強めてきた戦争というテーマに関し、私はこれまでに、以下の拙編著で検討している。『戦争と近代――ポスト・ナポレオン 200 年の世界』社会評論社、2011 年。「戦争と学問――満鉄時代における政治的葛藤と文化的葛藤の差異」、『歴史知と学問論』社会評論社、2007 年、第 8 章 、171-211 頁。

24　ロジャヴァ・クルディスタンで革命の最前線に立つ女性ゲリラ軍は国家というフォースに抗する“自由女性のイシュタール同盟”と称するヴァイオレンスとして特記される。クナップほか著、山梨彰訳『女たちの中東 ロジャヴァの革命』青土社、2020 年、参照。

★上記以外の参考文献：ジェレミー・スケイヒル、益岡賢・塩山花子訳『ブラックウォーター：世界最強の傭兵企業』作品社、2014 年。菅原出『民間軍事会社の内幕』ちくま文庫、2010 年。菅原出『外注される戦争』草思社、2007 年。松本利秋『戦争民営化――10 兆円ビジネスの全貌』祥伝社、2005 年。

参考＊石塚正英著『革命職人ヴァイトリング――コミューンからアソシエーションへ――』（社会評論社刊）目次

ヴァイトリング略年譜

1808 年 10 月 5 日　ゲラ生まれのクリスティアーネ・エルドムーテ・フリーデリケ・ヴァイトリンゲンとフランス人将校テリジョンの息子（庶出）としてマグデブルクに生まれる。

1822 年　婦人服仕立の徒弟となる。

1826(28 ？) 年　遍歴職人として旅立つ。

1830 年　ライプツィヒにて最初の政治的詩文をものす。

1830-32(秋) 年　ライプツィヒのある婦人服仕立て作業場で働く。

1832(末) 年　ドレスデンへ移る (-34 年)。以後プラハ経由でウィーンへ。

1834 年　ウィーンにて空想的恋愛小説をものす。

1835 年 4 月　ウィーンを立つ。10 月　パリ到着。

1835 年　パリにてドイツ人の共和主義的結社「追放者同盟」に加入する。

1836 年 4 月　再びウィーンへ。

1837 年 9 月　ウィーンからまたもやパリへ来て、こんどはドイツ手工業職人中心の新結社「義人同盟」に加入する。

1838 年末　義人同盟人民本部のメンバーとなり、第一作『人類―あるがままの姿とあるべき姿』を、同盟綱領として起草。

1839 年 5 月　義人同盟、ブランキら四季協会のパリ蜂起に参加。ヴァイトリング自身はこの時点でパリを離れていた。

1841 年 4 月　義人同盟再建を企図してスイス（ジュネーブ）へ移る。雑誌『ドイツ青年の救いを叫ぶ声』創刊。

1842 年 1 月　『若き世代』創刊。これを媒介にして無神論的ドイツ人結社・青年ドイツ派と理論闘争を展開。その間に主著『調和と自由の保証』起草・刊行。

1843 年 6 月　『貧しき罪人の福音』起草を口実に、チューリヒ州当局に逮捕され、秋にはスイスを追放となる。

1844年　スイスからプロイセンに護送されてのち(5月21日)、ハンブルク経由でロンドンへ追放となる。途中、ハンブルクでハインリヒ・ハイネと会う。8月23日ハンブルクを立ち、ロンドンへ。同地では、チャーティストや諸外国の亡命活動家の歓迎をうける(9月)。

1845年2月　義人同盟ロンドン支部のカール・シャッパーらと〈革命か啓蒙か〉をめぐって論争する(翌46年1月まで)。また友人の手でベルンにて『貧しき罪人の福音』を出版する(翌46年第2版を自ら刊行)。

1846年3月　ロンドンからブリュッセルへ渡り、革命論をめぐってマルクスと論争する。5月にはマルクスと決定的に決裂する。同年末、ブリュッセルを去り、ヘルマン・クリーゲの招きに応じてニューヨークへ渡る。

1847年　『貧しき罪人の福音』英訳本を出版。アメリカ人フーリエ主義者や土地改革運動家と交際。種々の準備を経てニューヨークにて「解放同盟」設立。

1848年　年頭にニューオーリンズまでの宣伝の旅に出、ニューヨークへ戻る途中でドイツ革命勃発のニュースに接する。パリ経由でケルン、ベルリンへとすすむ。同市で10月に『第一次選挙人』を編集するが、11月にはそこを追放され、ハンブルクへと向かう。

1849年1月　ハンブルクからアルトナへ移り、年末には再度ニューヨークへ渡る。

1850年1月　ニューヨークにて月刊(のち週刊)誌『労働者共和国』編集(55年7月まで)。

1851年　アイオワ州クレイトンで共同体的なコロニー「コムニア」(47年創設)の建設に参加。

1852年5月　ヴァイトリングの努力により「労働者同盟」創設。

1853年3月　ニューヨークで大工のストライキが生じた際、局地的なストライキを批判。

1854年　『労働者教理問答』出版。同年キャロライン・テートと結婚（5人の男児と1人の女児が生まれる）。

1855年　労働者同盟の崩壊とともに、政治運動の第一線を退く。また、心機一転して言語哲学や天文学理論、そして仕立職に関係する様々な発明に携わる。

1856年2月　パリに住む友人にあてて「我々のコロニーはますます終末に近づいている」と告白。

1862年　短期間、ニューヨークの移民局にて、移住業務の仕事に従事する。

1867年　アメリカの市民権を得る。

1868年　ニューヨークに「社会党」が結成された際、同党執行委員に選出されるが、これを辞退。

1869年　社会哲学、言語学、自然科学の草稿及び書簡の大半が焼失する。また仕立職に使う機械の改良を行ない特許をとるが、シンガーミシン社等に不当な価格で奪いとられる。「特許のことで私はずっと欺かれっぱなしだ」（友人シリングあて）。

1871年1月22日　インターナショナル・ニューヨーク支部の親睦会に出席し、その3日後の25日、ニューヨークで没する。妻子は文字通り赤貧の中にとりのこされる。

あとがき

1972年夏、私は、義人同盟を中心とする19世紀ドイツ手工業職人の結社運動に関する論文「プロレタリアの党形成史――ドイツ手工業職人の役割」を書きあげたが、それは、結果として1973年3月提出の卒業論文（指導教授 酒井三郎）となった。その後、ヴァイトリングに的を絞り、1974年12月から翌年1月にかけて、ビュヒナー、ヴァイトリング、マルクスほかに関する諸論文を執筆していった。その結果、『叛徒と革命――ブランキ・ヴァイトリンク・ノート』が完成し、1975年12月、イザラ書房（東京都文京区本郷）で出版した。

ビュヒナーやヴァイトリングに関しては、その前後5年ほどの間に、実に興味深い書物が続けざまに出版された。それは、『ゲオルク・ビューヒナー全集』（1970年、河出書房新社）、ビューヒナー・ヴァイディヒ『革命の通信―ヘッセンの急使』（1971年、イザラ書房）、良知力『マルクスと批判者群像』（1971年、平凡社）、森田勉『初期社会主義思想の形成』（1973年、新評論）である。私は、以上の書物から多くの注目すべき実証と考察とを汲み取ることができた。また、『叛徒と革命』執筆段階では十分参考にすることができなかったにせよ、1974年に平凡社で出版された良知力編『資料ドイツ初期社会主義――義人同盟とヘーゲル左派』は、その後のわが社会思想史研究に重要な文献となった。

しかしながら、当時の私がヴァイトリング研究上の一課題としていたブランキ思想については、新視角の研究成果は見当たらなかった。ブランキを再評価しようとか再検討しようといった動きがまったく感じられなかったわけではないが、19世紀ヨーロッパ思想史研究の分野では、概ね、ブランキは常軌を逸した革命家というステレオタイプで引用されるだけだった。先行研究において目につくブランキ論の大半は、エンゲルス以来の通説、すなわち〔少数精鋭からなる一揆主義者ブランキ〕なのである。そうした俗説に依拠して展開されたブランキスト・ヴァイトリングというイメージのなんと無味乾燥なことか？

文明の辺境と同時に文明の基層としての革命思想に意義を求めるわが研究にあっては、ヴァイトリングもブランキも、早すぎた革命家とか空想的革命家とかの評価で済まされはしなかった。新たな、というよりもまっとうな取り組み、19世紀革命論の再構築を志向したのである。その成果を、現在の私は、類型の相違として論じている。マルクスに典型的な革命論を〔革命の第一類型〕とし、ヴァイトリンクやバクーニンに垣間見られる革命論を〔革命の第二類型〕とするものである。最近の拙稿としては、事典項目「ブランキ主義 Blanquism」(社会思想史学会編『社会思想史事典』丸善出版、2019年)がある。

とはいえ、『叛徒と革命』刊行後、私の関心はブランキからもヴァイトリングからも少し離れ、ヘーゲル左派へと向かった。1830年代40年代ヨーロッパの革命運動を理解するには、ブランキやヴァイトリングによる実践的労働運動を追跡するだけでは困難であり、それと同時に、ヘーゲル哲学の解体過程にあって宗教・法学・歴史学・哲学の諸分野に出現したイデオロギー運動をつぶさに追究し、それが現実の革命運動とどのように関係しあっていくかを探ることも不可欠だったのである。その成果が「アーノルト・ルーゲの批判運動——Vormärzにおける自由主義の一つの型」(1978年3月修士論文、指導教授 村瀬興雄)である。

その課題のほか、私はもう一つ別の計画をもたてた。それは、若きバクーニンへのヴァイトリングの影響についてである。ヴァイトリングの独裁理論に関するバクーニンの受けとめかたを調べることは、バクーニン研究の上で意義深いだけでなく、ヴァイトリングの独裁理論を掘り下げる場合にも、重要な参考となるのだった。その成果が拙稿「バクーニンの〔独裁理論〕について」(『立正史学』第41号、1977年)である。本稿はその後、「バクーニンの〔プラハの独裁〕」として拙著『革命職人ヴァイトリング』(社会評論社、2016年)に再録された。

さて、2022年2月に開始したロシア軍のウクライナ侵攻は、私が本書第3部で縷々説明した国家権力の行使する「フォース(force)」と抵抗勢力の行使する「ヴァイオレンス(violence)」の概念を吟味する直近の機会となっている。日本政府は、同年 12 月 16 日、安保三文書（「国家安全保障戦略」「国家防衛戦略」「防衛力整備計画」）の改定を閣議決定し、敵基地攻撃能力を保有し強化していく方針を打ち出した。「反撃能力」という文言も含まれるこの決定は、アメリカと同盟関係にある日本政府にすれば、中国、北朝鮮、ロシアなど近隣諸国を仮想敵国扱いし、その軍事的脅威を殺ぐため抑止力を増強することを意味するが、アジア諸国にすれば恐ろしい再軍備の宣言にもあたる。

ところで、ウクライナ戦争を惹き起こしたロシアは、1917 年の内乱でロマノフ朝ロシア帝国を打倒し、その後社会主義革命を成功させている。いまでは十月革命と言わず十月クーデタと称する向きもあるが、その出来事の指導者トロツキーはウクライナ出身で、スターリンはジョージア（旧名グルジア）出身だったが、新政権にナショナルな名称はつかず、インタナショナルな名称「ソビエト社会主義共和国連邦」と称されることとなった。その当時は同朋関係にあった連邦内諸民族は、1988 年から 1991 年にかけての動乱を経て連邦が解体してのち、独立の主権国家に移行した。

さて、私は本書の「はしがき」で、ブランキやヴァイトリング、バクーニンをアウトローという概念で括ってみた。彼らはみなフォースでなくヴァイオレンスの行使者である。さて、それではプーチンがウクライナに差し向ける軍隊はどちらなのか、侵略する権力のフォースか、それとも抵抗する防衛のヴァイオレンスか。ウクライナ大統領ゼレンスキーの軍隊はどうか。アメリカ大統領バイデンがウクライナに送る武器はどうか。ドイツ首相ショルツの武器は、フランス大統領マクロンの武器は、はたしてどうなのか。研究者である私の区分法によれば、歴史上で国家が組織する軍事はおしなべてフォースである。それではいったい、ロシア軍に抵抗するウクライナ軍はどちらなのか。かつてのフランス革命軍やナポレオン軍のように、他国の領土に侵攻した途端、ヴァイオレンスからフォースに転化すると言えるか。そもそも両者は区別などできず、同根であるのか。武器の中に核爆弾が含まれてしまえば、敵も味方もなく、すべてが灰燼に帰すのだろうか。

この問い詰めは、人類史上で永遠に難問のままなのかも知れない。けれども、その難問に挑む精神を、現代人が現代人であるうちに鍛えるべく、本書は刊行された。1970年に始まるわがヴァイトリング研究は、2023年のこんにち、終わりなき歩みをすすめている。

最後になったが、本書を刊行するにあたり、社会評論社の松田健二社主、編集担当の板垣誠一郎氏にはさまざまなご高配を頂戴した。ここにあつくお礼を述べ、ふかく謝意を表したい。

2023年薫風の頃

さいたま市の〔悠杜比庵〕にて　石塚正英

事項索引

さ行

た行

人名索引

（「ヴァイトリング」を除く）

た行　131

な行

は行

ま行

や行

ら行

著者略歴

石塚正英（いしづか まさひで）

1949年、新潟県上越市（旧高田市）に生まれる。

立正大学大学院文学研究科史学専攻博士後期課程満期退学、同研究科哲学専攻論文博士（文学）。

1982年〜、立正大学、専修大学、明治大学、中央大学、東京電機大学（専任）歴任。2020年以降、東京電機大学名誉教授。

2008年〜、NPO法人頸城野郷土資料室（新潟県知事認証）理事長。

主要著作

叛徒と革命 ―ブランキ・ヴァイトリンク・ノート、イザラ書房、1975年

〔学位論文〕フェティシズムの思想圏 ―ド゠ブロス・フォイエルバッハ・マルクス、世界書院、1991年

石塚正英著作選【社会思想史の窓】全6巻、社会評論社、2014-15年

革命職人ヴァイトリング ―コミューンからアソシエーションへ、社会評論社、2016年

地域文化の沃土 頸城野往還、社会評論社、2018年

マルクスの「フェティシズム・ノート」を読む ―偉大なる、聖なる人間の発見、社会評論社、2018年

ヘーゲル左派という時代思潮 ―ルーゲ・フォイエルバッハ・シュティルナー、社会評論社、2019年

アルミカル・カブラル ―アフリカ革命のアウラ、柘植書房新社、2019年

学問の使命と知の行動圏域、社会評論社、2019年

フォイエルバッハの社会哲学 ―他我論を基軸に、社会評論社、2020年

価値転倒の社会哲学 ―ド゠ブロスを基点に、社会評論社、2020年

歴史知のオントロギー ―文明を支える原初性、社会評論社、2021年

価値転倒の思索者群像 ―ビブロスのフィロンからギニアビサウのカブラルまで、柘植書房新社、2022年

フレイザー金枝篇のオントロギー ―文明を支える原初性、社会評論社、2022年

歴史知の百学連環 ―文明を支える原初性、社会評論社、2022年

歴史知のアネクドータ ―武士神道・正倉院籍帳など、社会評論社、2022年

バロック的叛逆の社会思想 ―ニーチェ・フロイト・ブルクハルト批判、社会評論社、2023年

＊初出一覧

第一部　ヴァイトリング著『人類―あるがままの姿とあるべき姿』
▷未発表

第二部　〈革命か啓蒙か？〉―ロンドン労働者教育協会における連続討論から 1845.2.18 〜 46.1.14
▷『叛徒と革命―ブランキ・ヴァイトリンク・ノート』イザラ書房、1975 年、付録。

第三部　フォースとヴァイオレンス

第 1 章　ビュヒナーの檄文『ヘッセンの急使』
▷『叛徒と革命』、プロローグ、第 1 章第 3 節。

第 2 章　手工業職人ヴァイトリングの〔社会的デモクラシー〕
▷田上孝一他編『ユートピアのアクチュアリティ―政治的想像力の復権』晃洋書房、2022 年、第 4 章。

第 3 章　フォースとヴァイオレンス―〔支配の暴力〕と〔解放の抗力〕
▷『学問の使命と知の行動圏域』社会評論社、2019 年、第 7 章。

第 4 章　国家の戦争・民間の戦争・技術の戦争―ロシアのウクライナ侵攻によせて
▷国家の戦争と民間の戦争の交叉する 2022 年ウクライナ、『季報唯物論研究』第 161 号、2022 年 11 月。

ヴァイトリング著「人類」
革命か啓蒙か

2023 年 7 月 31 日初版第 1 刷発行

翻訳・編著／石塚正英

発行者／松田健二

発行所／株式会社 社会評論社

〒 113–0033　東京都文京区本郷 2-3-10　お茶の水ビル
電話　03（3814）3861　FAX　03（3818）2808

印刷製本／株式会社ミツワ

＊石塚正英著作

歴史知のオントロギー　文明を支える原初性

Ａ５判上製　3400円＋税

先史・野生の諸問題を通して現在この地球上に生きて存在する意味を問う。この地球上に生きて存在していることの意味、自然環境と社会環境の只中に内在していることの意味、あるいは、人と自然が互いに存在を認め合う関係が指し示す意味、歴史知のオントロギーを問う。

フレイザー金枝篇のオントロギー　文明を支える原初性

Ａ５判上製　3400円＋税

フレイザー『金枝篇』は、つとに文学・芸術・学術の諸分野で話題になってきた基本文献である。学術研究のために完結版の翻訳を神成利男から引き継いできた意義をオンライン解説講座で語り続けた記録。

歴史知の百学連環　文明を支える原初性

Ａ５判上製　3000円＋税

歴史知的な立場・視座は、その双方の価値や意義を、転倒という構えで以って連結させる。科学知・理論知の立場を転倒させると生活知・経験知の立場に至り、その両極を交互的に連結させる構え、パラダイムが「歴史知」なのである。

歴史知のアネクドータ

武士神道・正倉院籍帳など

Ａ５判上製　3200円＋税

様々な地域と領域で〝価値転倒〟が起きている。最たるは、二度にわたる世界大戦の反省に立ちながらも再び対立へ逆戻りしている国際社会。本書は〝価値転倒〟をモティーフにした研究遍歴を通し、歴史が創った思想と現代をつなぐ思念の意義を伝える学問論。

バロック的叛逆の社会思想

ニーチェ・フロイト・ブルクハルト批判

Ａ５判上製　3400円＋税

現代世界において先史文化、原初的文化は滅んでいない、過去と現在の応答や交互運動、その視座を研究に取り込む意義を伝える学問論〔文明を支える原初性〕第５作。文明的思想家への原初的批判を通して行われるリベラルアーツの破壊と再建をめざす。